# 再飄零

## 離散時代●與社會撕裂的哲學思考

●陶國璋
趙善軒●

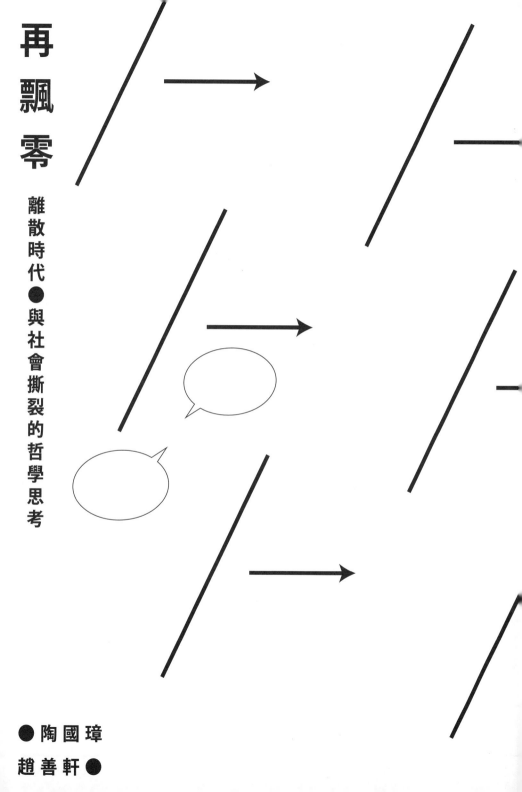

目次

# 推薦語——

這是二〇一九年香港和中文大學淪陷後唯一以哲學反省和剖析中國和香港的著作！兩位學者從新儒家和西方哲學對當前社會的對談論述，深入和坦誠，白色恐怖下說出真相！值得每個關心香港的朋友認真研讀。誰說哲學只在大學課堂上討論而不關心當前社會和政治議題？

——**張燦輝／前香港中文大學哲學系系主任**

反修例運動後，社會撕裂，黃藍、勇武、和理非、無力感等概念，就如幾年來港人的心情般，此起彼落。本書作者採用對談形式，以國學、心理學、歷史學、邏輯等角度，幫助讀者掌握相關概念，示範以理性拆解時局的可能。

——**楊穎宇／前香港考評局評核發展部歷史科經理**

導讀一——

# 從對歷史教訓的輕率中可以得到甚麼教訓？

鍾劍華／社會科學學者

過去幾年，香港社會經歷了天翻地覆的轉變，社會根基受到嚴重的打擊，香港賴以成功的基礎，也彷彿面對難以修補的破壞。香港社會多年來建立起來的那套文明社會價值，像是被顛倒了過來。在中共越俎代庖制定的所謂香港《國安法》凌駕一切之後，過往無庸置疑是合理的，今天突然間變成了有理說不清；以前顯然是很不合理的，突然間又被權勢奉為理所當然，並以此作為打擊不同意見對手的理據。

在一九九七年主權移交之前，香港人其中一個最大的疑慮，是原有的生活方式及社會價值會受到破壞，這一切，到現在彷彿是再無懸念了。問題是被破壞了的，能否得到修補。這種破壞，又會延續到幾時？種種因而衍生的問題及不合理的現象，又會如何演變下去？我們熟悉的香港，是不是從此不再一樣了？

上世紀八〇年代，在香港主權問題的討論過程中，香港人曾經有過懷疑，有過憂慮，擔心安穩的生活不保，擔心中國大陸在文革及之前的政治運動風潮會不會移植到香港。特別是經過了六七暴動，香港人對所謂「左」，即代表中共那套「鬥爭哲學」猶有餘悸，也十分厭惡。因此才會有中英談判過程中的種種爭議，也出現了主權移交過渡期那十多年間的兩波移民潮，總共走了超過四十萬人。香港也由一個主要是接收移民的社會，一度變成了一個移民輸出的社會。

一九九七年這個主權過渡，或者所謂回歸，顯然不是大部分香港人樂意見到的「統一大業」的一部分。不過，一個歷史的偶然，因為英國人沒有要求滿清政府把新界那片土地如香港島及九龍半島一樣，無限期地割讓給大英，結果是令香港無可避免要在九十九年後面對這個歷史遺留下來的尾巴。

上世紀七〇年代後期，在香港的英國殖民地政府開始要面對根據新界拓展條約造成的後續問題，新界地區的租借期會在一九九七年屆滿。英國作為一個法治國家，在香港行使的管治權及相關的公共行政措施都要符合法律依據。港英殖民地政府在七〇年代初才開始積極發展新界，到七〇年代後期批出土地的條約便開始出現問題。如果批出的土地期限不能超越一九九七年，私人資本便不會有興趣投資。因此，商討一九九七年之後的安排，對英國人來說是無可避免的。對於北京當局，這似乎也是一個措手不及的議題。

根據北京所謂「維持現狀，充分利用」的對港政策原則，那三條條約定下的界線，特別是對於新界土地租借期一九九七年屆滿這一點，根本就不是大問題。不是早就說了「不承認所有不平等條約」，「暫時不改變現狀，適當時候就會收回」嗎？這種隨意性，可能才最適合中共那種政治考慮壓倒一切的作風。偏偏是英國人自討沒趣。

香港前途問題的討論，是香港政府提出及啟動的。那是中國推行改革開放之後才一段很短時間，中共在一九七八年底的第十一屆三中全會確立了「經濟改革、門戶開放」政策，開始逐步擺脫過往那種耽於意識形態鬥爭的政治。改革開放才剛開始了一年，香港顯然是對中國最有利用價值的一刻，英國人竟然主動拋出這個燙手山芋。

當改革開放似乎帶出了一些正面影響的情況下，香港人，英國政府和國際社會對中國的看法變得較為正面，或者起碼沒有以前那麼負面。有人開始相信，這個時候跟中國人談判，似乎也不算是一個錯誤的時機。事後的歷史證明，任何時候跟中國政府談判，可能都不會是好時機。

那段期間，香港的大專院校對九七回歸這可能性也激起了廣泛的討論，特別是在香港中文大學。當時構成中文大學三間學院其中之一的新亞書院，其創辦人在一九四九年中共建政的時候，曾經以他們的行動對中共作出的承諾投下了不信任的一票。本書第一篇文章提到的牟宗三先生，就是新亞書院其中一位創辦人。

如果一九四九年他們不相信中國共產黨，三十年後，他們創立的那所書院的年輕學子，有理由相信中共的承諾嗎？中間那三十年，中共在中國大陸製造了多少人禍？難道大家不知道嗎？為甚麼香港人、為甚麼英國人、為甚麼國際社會會對才剛過去的歷史教訓如此輕率？

香港人顯然是知道那段歷史的，因此，就算中共推行了改革開放，不少香港人仍然有憂慮。正因如此，有了一段爭議不斷的中英談判；到後來又為《基本法》進行了諮詢及制定工作。當時有人有懷疑，有人有恐懼，有人有盼望，也有人感到無奈。但既然最終中英達成協議，「港人治港、高度自治」又成為了信誓旦旦的承諾，甚至成為《基本法》的條文，大部分香港人都唯有選擇接受，選擇期待。大家暫且擺開了歷史，選擇相信中共可能會發財立品。

在那個漫長的討論及過渡期中，在決定是否相信「一國兩制」的考慮當中，有人自然會想到一九四九年中共建政前後各方面的考慮、反應與選擇。當年，有人選擇跟隨國民黨退守臺灣，有人選擇直接遷居海外，也有不少人選擇來到在英國殖民地政府管治下的這個華人社會香港。其中作移居香港這選擇的，有一班知名的知識分子，一班被後來稱為「新儒家學派」的學者，包括前面提到的牟宗三先生。

所謂「新儒家」作為一個學派，出現在民國革命之後。傳統儒家思想的核心內容就是「禮義忠恕」，這被很多近代學者視為封建哲學，是鞏固封建帝王制度的一套學說。儒家的代表人物當然也有講「民本」，又會講「民貴君輕」，但其整套觀念及宣揚的體制秩序，基本上是肯定中國二千年來的君主體制。因此，到滿清王朝被推翻，民國成立之後，宣揚的共和，甚至推動憲政，到五四運動時講的民主科學，都是對儒家學說的一種挑戰。五四運動的時候，有些人更抬出了「打倒孔家店」的旗號。

加上後來的北洋軍閥政府傾軋不斷，在那個情況下，傳統的中國知識分子思想上又豈能不作出調整，傳統的儒家的學說也需要適應新的社會及政治環境而作出理念上的提升及更新。於是一群以繼承儒家學說，同時又要承先啟後，應對新形勢的「新儒家」學者便出現了。

根據現在一般的說法，「新儒學」的第一批代表人物包括馬一浮、熊十力、張君勱、梁漱溟、馮友蘭。這一批第一代「新儒家分子」，都是由晚清入民國那個混亂的期間逐漸建立其學術地位及身份的。他們都不同程度上參與過幾十年間在中國大陸的政治活動，他們都致力以學術思想及信念參與政治、干預政治。但他們的下場一般都不太理想，從某個角度上折射了所謂儒家思想在急劇轉變的時代面對的衝擊，就算掛上了「新」這個招牌，也不一定能容於那個也是以「新」作為號召的權力集團。在「新中國」，這第一代的新儒學代表人物都吃盡了苦頭。

一九四九年之後，除了張君勱選擇國共雙方都不相信、也不投靠，移居海外至晚年身故異鄉，其他幾位都選擇留在中國大陸這個新中國。他們往後都在不同程度上不得不調整了儒家思想中那種溫文爾雅、包容謙讓的傳統價值，又嘗試與中共所講的社會主義理論及鬥爭哲學作某種程度的調和。

這種嘗試，結果是他們幾乎無一個能夠說是成功。馬一浮及熊十力都在文化大革命中被視為代表腐朽文明的學術敗類，受到嚴厲的批判及鬥爭，兩人都在文革早年就鬱鬱慘死。馮友蘭就徹底背叛了一切，他因應政治時勢，不同的階段就依附不同權勢中人，但最終每一次到最後都是發現找錯了靠山。他雖然得享高齡，但人格上的污點就永遠不能抹去；在學術上，他也把儒家或新儒家的一切完全拋卻。梁漱溟在一九四九年之後也是留在共產中國。他接受過中共的統戰，在全國政協中扮演過重要的角色，他意圖繼續發揚儒家思想，發展新儒家理念，因而也是不斷受到衝擊與鬥爭，還被毛澤東點名批判，但他總算是能夠保存自己風骨。

到中共建政之後，出現了另一批所謂「第二代的新儒家分子」。這班人在面對一九四九年這個政治權力大交替時，採取了與第一批新儒家分子截然不同的取態。其代表人物包括方東美、唐君毅、徐復觀及牟宗三。這幾個代表人物都曾經表明不相信中共那一套，因此要在海外保存中國的傳統文化與價值。這幾位新儒家學者之中，除了方東美跟香港沒有甚麼淵源之外，其他三人都曾經意圖在香港保存及發揚儒家道統，三人都曾經不同程度參與新亞書院及香港中文大學的創建及學術工作。

對香港人來說，唐君毅、徐復觀及牟宗三，就算不算是家傳戶曉的人物，對於很多有一定文化及教育水準的香港人來說，應該都不會太陌生。香港人今天特別有理由認識他們幾位及他們的論點。特別當曾經給予香港的承諾突然在幾年內化為烏有，一切都顯得那麼輕率，那麼容易，那麼粗暴，令人那麼無可奈何，又無能為力的情況下，幾位先生的先見不是特別值得重視嗎？

如果在上世紀八〇年代初，大家對他們的判斷有更嚴肅的思考，那個香港前途問題的討論又會不會產生另一種不同的結果？歷史發展出來的局面是沒有如果的，但哲人的洞見卻往往可以成為一個警示，一個對後世的教訓。特別是當他們的警示在多年之後成為得到事實驗證的另一階段的歷史之後，大家就更沒理由不重視他們的觀點了。

本書第一篇文章，記錄了陶國璋教授及趙善軒博士就牟宗三先生的一個思想片段的對談，說明了牟宗三先生對中共那一套唯物辯證法的判斷。以這篇文章作為這本書的卷首，是一個很有意思的安排。這文章提供了一個起點，點出了那一批第二代新儒家分子當年為何有那種判斷，那種判斷又對當今香港有甚麼啟示。

本書的其他文章，都是趙博士及陶教授的對談記錄。他們兩位在二〇一九年之後，就那個階段香港爆發的抗爭事件及衍生的種種論題與現象，進行了深入淺出的討論。這些討論都十分有意思，都能夠舉一反三，或是見微知著，折射引起那場抗爭風波背後潛藏著的種種問題根源，也說明了北京當局現在以如此粗暴的方式來回應其實並不意外。這正是說明了這個政治集團的本質，那種本質，不也正是當年那一批第二代的新儒家知識分子對共產黨投下不信任票的理由嗎？

應該沒有多少人會反對，人類社會應該要從歷史教訓中吸取經驗。唐太宗早就說了「以古為鑑，能知興替」，又說「以人為鑑，能知己過」。但偏偏歷史不斷重複，有人打趣說：「人類社會從歷史中吸收到的唯一教訓，就是人從來不會從歷史吸取教訓。」但願這本書討論到的，能夠提醒更多人，有一些歷史教訓確實應該緊緊記取。

二〇二三年九月十二日

導讀二——

# 飄零與再飄零：立足香港的哲學思辨，面對憂患現實的靈根再植

沈旭暉／國際關係學者

陶國璋教授、趙善軒博士合著的新書《再飄零：離散時代與社會撕裂的哲學思考》，書名源自中國新儒家代表人物、創立新亞書院唐君毅先生的名句，傳承了新儒家對亂世的憂患意識。兩位新亞學人以我們珍視的香港過渡到當刻「新香港」的社會現況為基礎，談論中西哲學的異同，手持思方利劍刺穿上位者的盲點，給予身處飄零世代的你我洞見社會真相，思考未來的可能。

回首前塵，昔日的飄零，和如今的「再飄零」極其相似。一九六一年，唐君毅發表〈說中華民族之花果飄零〉一文，認為海外華僑因東南亞各國政府的壓抑，海外華僑社會將面臨全面崩潰。一九六四年，他發表了另一篇文章〈花果飄零及靈根自植〉，就現實的局限提出了應對方法：

一切人們之自救，一切民族之自救，其當抱之理想，盡可不同，然必須由自拔於奴隸意識而為自作主宰之人始。而此種能自作主宰之人，即真正之人。此種人在任何環境上，亦皆可成為一自作主宰者。故無論其飄零何處，亦皆能自植靈根，亦必皆能隨境所適，以有其創造性的理想與意志，創造性的實踐，以自作問心無愧之事，而多少有益於自己，於他人，於自己國家，於整個人類之世界。

面對中華民族的苦難，唐君毅正視現實，花果縱使飄零，能夠獨立自主的人，依然可以靈根自植，以待將來時機許可再創一番事業。此種憂患意識，顯見在那一代因中國共產黨專政逃難到香港、臺灣的新儒家學者，其中錢穆、張丕介、唐君毅等在一九四九年到香港創立新亞書院，以行動表達何謂靈根自植，希望藉由學術保存被中共摧殘的真正中華文化，皈依普世價值，並且與國際接軌對話，造就了一代又一代充滿獨立思考能力的香港人。無論我們是否曾就讀香港中文大學，是否讀過哲學，其實廣義上，都已經是南來文人的學生。

這靈根卻因近年正式失去自由的香港面臨新一波危機，敢於思考、道出真相的知識分子，不少無奈四散至海外尚有自由的國度，才能保存獨立自主的人格，繼續昔日以為是理所當然的思考討論。按此一歷史脈絡，陶國璋教授、趙善軒博士的新書延續、深化了上世代的議題，面對「再飄零」世代，為你我提供「離散時代與社會撕裂的哲學思考」，使靈根能夠再次自植於當下。

《再飄零：離散時代與社會撕裂的哲學思考》收錄了兩人十四次的精彩對談，立足香港，橫跨古今中外，像〈牟宗三的「內聖外王」思想與唯物辯證法的思維虛妄〉、〈馬列史毛主義者對權力的迷戀：何以至死不渝？〉等，談新儒家政道與治道之別，批判馬克思唯物辯證法無視道德，馬列史毛主義者戀棧權位的弊病；〈民主的價值：「獅子與狼」之喻〉、〈自由：普世價值的探索——蕭若元與哈佛博士吳錦宇的辯論解析〉、〈為何會有人支持專政？〉等，比較中西哲學的良知、自由、專政等概念定義，現代面臨的挑戰及其價值；〈青年人的困境與對策：防止他們陷入絕望，論「生於亂世」的命題〉、〈陣營的對立：探討道器之爭與暴發戶、小資產階級的矛盾〉等，分析香港時事所呈現的社會問題，關心市民面對的困境，都一再體現公共知識分子對世界的關懷。

這些本應常見的公共事務討論，隨著二〇二〇年香港政府實施《港區國安法》，已經不容於香港社會，亦一再印證「再飄零」的事實。香港人面對離散時代、社會撕裂的現況，都希望能夠繼續保存獨立思考、人格，而非全面屈從於利維坦的鞭子和糖果，成為唐君毅筆下人云亦云的奴隸。

那麼，香港人的靈植如何自植？這本書正呈現了新亞學人的典範，許多極具啟發的哲學對話，都能讓我們擁有厚實的思想裝備，學習新亞精神的「艱險我奮進，困乏我多情」，繼續前行。

一九五八年，唐君毅、牟宗三、徐復觀和張君勱四人共同發表〈為中國文化敬告世界人士宣言〉，面對故土蹂躪於極左鬥爭政體的悲劇，用個己生命詮釋了憂患意識：

真正的智慧是生於憂患。因為只有憂患，可以把我們之精神從一種定型的生活中解放出來，以產生一超越而涵蓋的胸襟，去看問題的表面與裡面，來路與去路。

陶國璋教授在《再飄零：離散時代與社會撕裂的哲學思考》說，他們這些對談，都是為了承接過去先哲的智慧，以自由討論延續文化生命，使靈根再次自植於當下。關於智慧、自由和靈根，往往在我們面對憂患困境時，最能解放及展現出來，個人如是，群體如是，民族亦如是。且讓我們一起正視現實，看清亂世種種煩囂，走出屬於新世代的理想未來。

導讀三──

# 絕望與再生

無名／哲學系教授，本書審訂

「無名天地之始，有名萬物之母。」（《道德經．第一章》）

陶國璋與趙善軒兩位先生新著《再飄零：離散時代與社會撕裂的哲學思考》（下稱《再飄零》），就其主題而言，大概呼應著新儒家唐君毅先生〈說中華民族之花果飄零〉及〈花果飄零及靈根自植〉二文的用心。這是一個花果飄零的時代，不論留守與流離，都如陶先生常說的「輕不著地」，腳下盡是虛無，失去立足點。然則新儒家素來強調超越的心性，在無可奈何的命運之中，人總能夠主動穩住平靜的心靈，靈根自植，進而開放更璀璨的花果。飄零的意義，更在於其不限一地，普世的種子，得以散植更開闊的世界。陶先生本來師承新儒家一脈，其師牟宗三先生曾說：「人雖有限而可無限。」人生在世雖永有內外勾纏的種種限制，但人總可以主動創造無限的價值。陶、趙二位先生的新著，應該可以說是既繼承又開發了中國哲人的傳統。

認識陶先生者，應該都感受過其教研善於將抽象的哲學理論活用在平凡的現實生活之中。相信不少大學同學，都在「愛情哲學」、「死亡與不朽」、「幸福論」、「哲學、電影與人生」等課，體驗過陶先生如何深入淺出地在非常具體的日常課題當中，談出永恆的思想意義。尤記得在可以非常專門與學究的哲學課上，陶先生選取有別一般強調複雜論證的教學方法，轉而通過侯孝賢導演的《童年往事》，更具體地講授抽象的道理。這部《再飄零》，可說是陶、趙二位先生合作以哲學思考介入現實議題的再一次演示。

說起來，陶先生的《哲學的陌生感》，可說是我個人其中一本啟蒙書，其中關懷或許也貫穿了其向來的思考，而與《再飄零》一脈相承。在這樣一個風雨飄搖的世代，我們對於「陌生」、「荒謬」、「飄泊」、「虛無」、「絕望」這些概念大概絕不陌生，卻又視之為負面，並有真切的體驗。這個地方桃花依舊，卻面目全非，一切如此熟悉，卻又陌生。於此陶先生指出，陌生的情懷當中隱含著更深奧的訊息，迫使人反省種種關於存在的追問：「世間存在著更真實的真相」（頁六）。我們都感受到這個時代種種可悲得可笑的荒謬，陶先生告訴我們：「荒謬感教人從熟而安穩的世界中撤離。」使習以為常在溫水中的青蛙重新清醒過來，進而思考「此間是否還有理性的光明？」（頁十三）。今天這裡的人無論肉身還是心靈總都飄泊在外，陶先生促使我們思考所謂的「家」到底是物理的空間，抑或是形上的歸宿，人對於自身「無家性」（homelessness）的正視，恰好構成了一種遙遠卻內在的召喚，「世上的家，形上的家是同抑或不同呢？」（頁二十二）。東方的智慧告訴我們，兩者終歸在終極處統合起。我們總是傾心於實在的立足點，懼怕虛無，陶先生提醒我們虛無卻可以轉化為一種「表示心靈敞開，迎接整存的可能性」的思維態度，「我們說真理是敞開的狀態，敞開只是經揭示所展示的自由狀態。自由是大白於世，澄明自在」（頁三十四—三十五）。我們都念茲在茲的自由，竟然就潛藏在因虛無而敞開的心境之中。最後當然是今人時感的絕望，一種從社會到個人以至於整個世界的絕望。陶先生卻澄清絕望與再生永遠是一對雙生雙成的概念，雖則「絕望是現實人生的盡頭」，只是莫忘「再生是理想的冀求，在此只活一次的歷程中，盡著自己最大的努力，改變現實的處境，徹底解決生命的絕望」（頁 xiii）。如是，「陌生」、「荒謬」、「飄泊」、「虛無」、「絕望」不再僅有負面的意義，而更能轉化出積極的功能，啟發「真相」、「光明」、「家鄉」、「自由」、「再生」的追尋。《再飄零》之中花果的「飄零」，終歸連繫於每一個靈根的「自植」。

老子常說：「無名天地之始，有名萬物之母」（〈第一章〉）、「道常無名」（〈第三十二章〉）、「無名之樸，夫亦將無欲」（〈第三十七章〉）、「道隱無名」（〈第四十一章〉），「無」宛如是社會、人生乃至世界秩序的根本原則。從古至今，人類社會存在著太多的有為，虛偽、造作、干預、束縛、勉強廣泛遍布於一切的人事活動。在上位者，固然應該更為重視無為的價值，容讓百姓重建自由、自在、自然、自化的生活世界。而每個飄零的個人，其實也同樣值得重新思考無為的意義。「為者敗之，執者失之」

（〈第六十四章〉），急躁的心態與行事往往導致與初衷相反的結果。勿忘勿助，也許是一個有待今人時刻自我提醒的重點。

**二〇二三年秋序於無何有之鄉**

參考資料：陶國璋：《哲學的陌生感》，香港：匯智出版有限公司，二〇〇三年一月初版。

# 編輯弁言

本書為陶國璋先生與趙善軒先生之對談錄，正文中「陶」即為陶國璋，「趙」即為趙善軒，於文中不再特別說明。

書中標註「編者案」之處，為審訂對文意脈絡的補充說明。

文中所提及的人物，於全書第一次出現時以註釋介紹其人物生平。後如又出現，不再特別重複介紹。

外文譯名以使用香港慣用譯名為主，並註明臺灣慣用譯名作為參照。如「阿道夫．希特拉（Adolf Hitler，1889-1945，臺譯：阿道夫．希特勒）」。

資料來源若為網絡資料，網址部分為標注該網頁之網站首頁網址，如「張踐：〈墨翟與墨家思想〉，《中國文化研究院》（https://chiculture.org.hk/tc），二〇二〇年七月二日（擷取日期：二〇二一年二月二十七日）。」若為網絡新聞報導，則列出報導標題、報種、報導日期。由於香港不少新聞媒體已關閉，無法查找網址來源，因而新聞報導的註釋統一不列明網址。如「〈【專訪】忍無可忍　趙連海對中國政府的大控訴〉，《立場新聞》，二〇一八年七月二十六日（擷取日期：二〇二一年二月十日）。」

# 牟宗三的「內聖外王」思想
# 與唯物辯證法的思維虛妄

**趙**　陶先生，你好！我今天想和你在香港中文大學的崇基禮拜堂討論一個融合了學術與政治現實的議題。我知道你在香港中文大學受教育，也在新亞研究所學習了許多哲學大師的思想，例如勞思光教授和牟宗三教授。[1]我注意到，儘管牟教授主要是哲學學者，但他的著作中大量包含對政治的闡述，並明確反對專制、獨裁，甚至是反對共產主義。然而，在當前的中國，由共產黨統治下，卻有不少哲學學者持續研究並追隨牟教授的學說。這似乎顯得有些矛盾。我很好奇，為何在這樣的政治環境下，還會有如此多的學者研究一位鮮明反共學者的思想？能否從學術與政治的分界、大陸學者對真理的堅持等角度來解釋這個現象呢？

**陶**　這裡我先補充一下，在大陸出版的牟氏著作很多時候需要審查、刪批了一些東西，諸如反共的言論。或者我介紹一下：牟先生在四、五十歲的時候，剛好大概一九四九年時先到臺灣，後來一九六八年來到香港。當時他寫了關於政治的三本書，後來成為「外王三書」，分別是《道德的理想主義》、《政道與治道》與《歷史哲學》。不過，我們須注意《歷史哲學》一書是說漢朝的，主要講其時劉邦、劉秀奮鬥的過程及其如何成為中國歷史的一個樣態。

《道德的理想主義》這部著作，是一本匯聚牟宗三先生十四篇重要論文的集結本。這些論文圍繞著「仁」這一核心概念，對中西學術問題、現實議題和文化建設問題進行了全方位且深度的探索，同時也提出了儒學第三階段的發展理論。書中重點反思文化生命的源起和深意，並致力於解答人們的疑惑。這部著作的目標在於喚醒大眾對歷史、文化和價值觀念的認知，並為尋找中國文化的未來之路提供指引。

二〇一〇年，當年大陸的氣氛較開放。出版社引入了此套書，他們對牟宗三先生的作品相對尊重。由於牟宗三先生的政治觀點與他們存在一定的分歧，導致他們對他在某些價值觀和意識形態判斷方面的言論並未全盤接受。儘管如此，他們仍努力保留所有屬於學術討論範疇的內容，除了對一些必要部分進行修改，他們的首要原則始終是尊重作品的完整性。他們也提醒讀者在閱讀過程中進行批判性思考，並從中汲取他們所需要的知識和觀點。

**趙**　牟宗三教授的《政道與治道》絕對是他最具影響力的作品之一。《政道與治道》與《歷史哲學》就如同緯度和經度一般交織在一起。這本書在十章的篇幅中，將《歷史哲學》中未能整理成系統的思想進行了梳理，形成了一個嚴謹的哲學體系，並對其進行了深入的拓展。

這套書不僅可以在許多書店中找到，而且引發大量學者深入研究，撰寫專業論文和書評。實際上，「治道」和「政道」這兩個概念在中國幾千年的歷史中一直是熱門話題。例如，學者們經常會提出一種觀點：某些政權或許能夠取得「天下」，但並不意味他們獲得了「正統」的認同。牟宗三教授作為新儒家的代表性人物，他的觀點與傳統的學者，有何異同？[2]

**陶**　我認為牟宗三教授的觀點是對錢穆先生在《中國歷代政治得失》一書中所陳述的見解進行了進一步的拓展和深化。錢穆先生曾認為中國的宰相制度可視為一種文明，甚至是民主的表現，但牟教授並不完全同意這一點。他認為，儘管從「治道」的角度來看，中國的宰相制度和士大夫制度的確蘊含了某種程度的民主元素，然而，在「政道」上，中國仍然保持著專制的社會結構。這我認為是牟宗三教授與錢穆先生在立場上的主要分歧。牟教授所提出的「政道與治道」概念，其中的「政道」指的是政權的合法性，而「治道」則關注的是治理的模式和方法。因此，我認為牟教授的觀點可以視為對錢穆先生「宰相制」觀點的一種深化與拓展。

**趙**　錢穆先生的《中國歷代政治得失》一書中，他不只提及了宰相制度，還認為自隋唐時期開始，尤其在唐宋時期，中國已逐漸形成了一種開放且具流動性的階梯式社會。他認為，科舉制度推動了平民有機會轉化為士大夫，而士大夫又有可能升任為宰相，由此，形成了一個流動性強的開放社會。這種觀點可以說是一種理想化的描繪。不過，對於這種觀點，錢先生的學生余英時教授卻有截然不同的看法。余教授強調了中國自古以來的君尊臣卑和反智的傳統，導致師生兩人之間產生了一定的分歧。然而，對於錢先生所描述的理想狀態，牟宗三教授似乎持有不同的觀點。他是否對中國傳統的專制制度提出了更深入的批評呢？

**陶** 沒錯，牟宗三教授在他的著作《五十自述》中詳述了他自己的求學歷程。在中國北伐時期，他在北京親眼見證了馬克思主義的興起，這讓他對當時的政治左傾潮流有了深刻的感觸。[3]儘管他是一位專業的哲學家，他同時也對那個時代的思潮有所反思。當他離開中國大陸移居臺灣時，他寫下了那三本書，試圖從中反思並總結中國傳統政治以及尋找可能的出路。

**趙** 陶先生，當我們回顧上世紀三〇年代，不僅在中國，實際上在全球範圍內，我們都可以看到知識分子被左傾思想所吸引的趨勢。從英國的費邊社會主義（Fabian Socialism），到美國的左翼運動，這種傾向是不容忽視的。我在閱讀牟宗三教授的著作時，被他的經歷所吸引。他曾經和唐君毅、余英時等人一樣，深受左傾思想的影響，但他後來對此進行了深入的反思，甚至可以說是一種覺醒。這對我來說是一種啟示。

這個啟示在於，知識分子，尤其是像牟宗三教授這樣的學者，有能力超越當時的社會思潮，進行深入、獨立的思考。這不僅需要極高的學術能力，還需要有一種能夠直面自我，尋求真理的勇氣。我對這種勇氣抱有極高的敬意。

我特別感興趣的是，牟宗三教授在甚麼樣的情境下進行了這種深度反思？是甚麼驅使他開始對他先前的信念進行反思？他如何從自我覺醒中找到了新的學術路徑，並最終成為了一位傑出的學者？

**陶** 在《五十自述》中，牟宗三教授詳細講述了他十幾歲初次赴北平（今北京）學習時，曾深受左傾思想或理想主義的吸引，甚至主動參與宣傳這些政治理念。然而，在一次暑假回鄉期間，他的父親對他說：「擇其善者而從之，不善者而改之。何可如此不分好歹？外面那些風氣算得了甚麼？」這段話初始並未對牟教授產生太大的影響，但隨著時間的推移，他開始懷疑共產主義的激進與理想主義可能僅是「激情的浪漫」，而非實際可行的道路。當他進入大學的二、三年級時，剛好遇到胡適返回國內在北大任教，這段經歷也讓他的思想有了進一步的轉變。他深受金岳霖教授的邏輯課程啟發，在研究唯物辯證法的過程中，他發現其中充滿了不符常理的推論。於是，他決定從理論研究的角度出發，與當時的左傾學生及相關人士展開討論，這也成為他思想轉變的重要階段。

**趙**　能否再詳細地對此提供一些解釋呢？我希望能深入探討這個問題，這個問題的啟發來自於我對勞思光教授對黑格爾（Georg Wilhelm Friedrich Hegel）辯證法以及其進一步發展為唯物辯證法的評價和批判的理解。以勞教授與牟教授的教學內容，或者是你自己的觀點作為基礎，你能否詳細地分析一下黑格爾辯證法存在的問題？

**陶**　黑格爾在西方哲學而言，是一個有點歧出的哲學家。他屬於文化哲學家而非如康德、笛卡爾那種純理論哲學家。[4] 他的研究涉及美學、人類哲學及歷史哲學等相關範疇。他本人思想磅礴，提出傳統亞里士多德（Aristotle）的哲學裡面有一個同一律，即 A=A 的自身等同。[5] 他說 A=A 不僅僅是邏輯問題，其實在生活上就是一個自我意識的統一，就是在想「我」這個觀念的時候它有另一個主體。我們很多時候說「我」這個概念可以是

subject（主體），同時是object（客體），變成同時有兩個身份。這就是所謂主客觀裡面存在的辯證統一規律，稱為「正反合」，意即所有事物從歷史或世界上的發展過程都經過正題、反題、合題三個階段。

以一個簡單例子說明：我們兒時觀賞電影，看到石堅出場就是奸角，而曹達華就是忠角。也許因年代久遠，各位對他們已經不熟悉。這個「正」謂正義感。但當你踏入職場時，你會因人生世途險惡而失望，覺得大家都是披著羊皮的狼，就成了「反」。及後你年齡漸長，思想和閱歷增加後，就會發現人性有光有暗，然後把以前兩種片面思維結合以昇華，這個過程就變成「正反合一」，即辯證（Dialectics）。辯證法覺得無論人生還是歷史都跟隨「初級、反提階段、再超越」的合成提升，成為一個螺旋式的上升規律。黑格爾說這個叫精神辯證法，或稱唯心辯證法。這理論假設人的精神思想本來就是不斷提升，譬如我們認識世界是從片面到綜合，繼而提升為自己的學問。或者一個人本來性格柔弱，但遇到困境時他可以超越自己的柔弱變成勇敢。兩例都可詮釋為我們內在的精神思想不斷提升，就是「正反合」的體現。

不過就黑格爾的理論，馬克思多予以批評。簡而言之，黑格爾逝世後，他的追隨者分為左、右兩派，右派基本繼承黑格爾的原有理論，成了哲學史裡的一派。相反，左派就是所謂馬克思思想，認為這是一個因果顛倒，並提出世界的發展不是意識決定存在，而是唯物（特指生產關係）決定人類的意識形態。舉例說我們信奉的宗教或者討論的哲學，包括性善、性惡論之類是根據你的階級——諸如貧農或者貴族——以及社會條件決定接受某一種意識形態。[6] 於是它把黑格爾的唯心辯證改為唯物辯證。

**趙**　的確，馬克思的經濟史理論也確實借鑑了這種思維方式。他認為當外部的社會環境出現變化時，內在的思想觀念也必然會有所改變。換言之，你對於問題的看法並不僅僅取決於問題本身，而更多的是基於你的階級立場，從而推動了階級鬥爭的理論。但在中國文化中，有一種說法認為：自從辯證法在中國大行其道後，人們的是非觀念似乎有所模糊。例如，在美國問題上，從一九四九年開始強烈抨擊美國的邪惡，到一九七一年理查．尼克松（Richard Nixon，臺譯：理查．尼克森）訪華之後的中美友誼讚揚，面對同一對象時，是非判斷似乎變得模糊不清。無論是與美國的合作還是打擊貪官等問題，都可以使用辯證法的正反合規律來分析。這種方式是否對中國文化和道德觀念產生了影響？我們需要進一步討論。

**陶** 上述的唯物辯證法思維不僅衝擊道德觀，更出現「手段化」現象，譬如共產主義者相信經過擊敗資本主義之後，人類未來將邁進美好的共產大同世界，要實現理想必須進行階級鬥爭去打敗資本主義云云。於是他們有一個想法，就是一切當下的東西都值得犧牲，以便為未來的理想服務。由此我發現他們有一個很大的理由就是無論說任何謊言，常抱持「人毋犧牲，焉達理想？」之格言，覺得殺人、鬥爭也好，都是為未來而進行的過渡。他們倚仗這套思維振振有詞，為一些打壓行為或者謊言掩飾。就牟先生的政治哲學而言，一方面他的確批評馬克思，特別以鴻文針對矛盾論作出討論。另一邊廂，我覺得如果要描述牟宗三的政治學，需要從「內聖外王」的觀點說起。這個傳統的儒家思想字面上看就是內在成聖，然後把「成聖」推己及人一直推廣出去。用孟子的角度說，你就會有不忍人之政，自然就會關心政治、社會或者倫理。

**趙** 其實這就是來自莊子對儒家總結，所謂「是故內聖外王之道，闇而不明，鬱而不發，天下之人各為其所欲焉，以自為方。」[7]這些觀念從先秦到宋明儒學皆附注疏有所討論。那牟先生對「內聖外王」他有甚麼突破的見解呢？

**陶** 我認為牟先生的這種觀點並不一定算是突破。在五四運動之後，出現了一種「全盤西化」的觀點，這導致了「科學與玄學」的爭論。然後，牟先生繼承了熊十力先生的思想，認為中國的傳統文化和西方的自由民主思想都有其獨特的價值，不能過度偏重一方。當新儒家走到第二代的時候，如唐君毅、牟宗三和徐復觀等學者，他們對政治的反思更為開放，特別是對西方自由主義和民主制度的思想。因此，當我們看牟先生的《政道與治道》和《道德的理想主義》時，會發現他實際上引入了許多西方的民主理念來闡釋儒家的政治思想。

**趙** 二十多年前，我讀過李天命先生的書籍，其中對牟先生的觀點進行了深入的語理分析。他引述新儒家的一個觀點，那就是「中國文化有潛力發展出民主」。然而，「發展出」這種表述容易產生混淆，因為它只涉及到是否可以發展出民主，並沒有涉及如何實現這一過程。另外，「資本主義的萌芽」這樣的表述也具有類似的問題。問題的核心在於：如果尚未發展到資本主義階段，如何能確定接下來會走向資本主義呢？這些都可能導致語義的混淆。所以，陶先生，你如何看待牟先生將民主制度或思想與「內聖外王之道」相結合的解釋呢？

**陶**　我自己到了某個年紀開始反省，其實新儒家眾學者對西方民主體制的理解未必很深入，他們只是於觀念出發，例如重視人的個體性、重視宗教及言論自由等等這些方面上肯定。新儒家如牟宗三先生在「略談中國文化」講座中明言：新儒家對具體的政治運作並不內行；只是對政治（政道），堅持有道德的基礎，一在實際層次，一在原則層面！[8] 但具體到某些特定概念如「無知之幕」（Veil of Ignorance）[9] 等等未必很熟悉。我覺得新儒家學說的其中一個論點與西方的人本主義／人文主義（Humanism）有某種連接。[10]

簡單來說，他們認為政治、經濟或客觀社會秩序等的一些體制運作經常被說是一種效益主義，所以談到其內部例如經濟效益、成本效益之類就可以決定一個行為的對錯或者是否合理。可是，他們堅持這些行為是否合理需要建基在「道德良心」上。「道德良心」是一個基礎。如果沒有這個基礎作為支持的話，所有的客觀秩序本身就會變成一種廣義的相對主義。[11]

在熊秉元的著作《正義的效益：一場法學與經濟學的思辨之旅》中，他深入探討了包括正義、權利義務等重要法律議題，並針對這些議題的提出和解決方案的設定，清晰地解釋了法學經濟學的核心理念，追溯了其在美國一九六〇年代崛起的歷史，並運用多個英美法律的重要案例，闡述了如何以經濟學的效率觀點來處理和理解法學上的正義問題，這些都為我們提供了深刻的啟示。

裡面有一個挺恰當的例子：有人需要修路，就擺了很多炸藥在路邊。到了中午工人就去吃飯，但附近有所小學的學生不懂甚麼是炸藥，於是走過去時被炸死了。所以怎麼辦？

書上就說了一個效益推論，它分析這個責任應該在學校校長、家長的管教，還是工人的疏忽？所以它有一個手段，就是如果你需要推廣這個「有炸藥！」的危險訊息讓所有小學生都知道的話，那成本就會很高。反之，只要你派一個工人留駐，看到有人接近就讓他走開，這就是效益。我聽完印象很深，正好那時候思考牟先生的「內聖外王」。《正義的效益》一書中說經濟效益決定了責任落在工人階層，所以社會責任與效益問題解決了。在這裡我記得牟先生曾經說過，其實所有事的背後是存在一種關懷，例如關心小孩子的安危，而不僅是炸橋或者賠償這些浮於表面的問題。賠償是法律與效益的問題，但是立法者與仲裁的法官最後對責任的判定，不僅是如何省錢的經濟考慮，而是關心小孩的生命。這種「關心」本身就是一種道德層面的東西，於是「內聖外王」的意思就是指在背後是有一個所謂的道德良心。

誠然，新儒家最困難的地方在於證明「道德良心」。我亦覺得新儒家學說不足夠闡述「外王」這一點，因為民主政治中的左派、右派這些概念他們未必搞清楚。不過，「道德良心」能作為一個輔助系統判斷事情，觀乎商業倫理、社會婚姻制度，或者人與人之間的關係，甚至政治體制如「為何『反對言論自由』是不合理的？」或者「為何種族歧視是不合理？」我們說一個法官理性，指的是在充沛的專業知識外，背後有一個合乎常理的良知系統。如果該法官純粹為黨服務，事事高舉「政治正確」，我們就會看到很多謊言或手段化現象。

所以我們批評馬克思主義是基於它本身把「理想」作為目的，故任何的行為都能不惜犧牲作為手段，如大慶油田就犧牲許多人的性命。[12]當任何東西都可以犧牲的時候，這個犧牲其實就是一個「忍不忍」的問題。當毛澤東[13]在大躍進的時候餓死四千萬人，你有否想過餓死的人也有兄弟姐妹和父母，或者父母餓死了孩子。這是一個具體的同情感，而不是在於是否能到達大同社會的問題。我簡單總結，「內聖外王」字面上很簡單，就是做好內在修養是成就合理政治體制的基礎。

其實唐、牟兩位對政治體制未必最熟悉，卻相信對於人而言，恢復他們的仁心、價值、是非至關重要，就像孟子說的是非惻隱羞恥之類。這點正好跟我最近思考的文藝復興，或者在羅馬再早一點的西塞羅[14]所言之 Humanism，即人是有其個體及尊嚴的。他承繼亞里士多德所說，每個人最重要的其實是其德性。德性到了西方文藝復興的時候，就發展成每個個體的自由或其發揮，這就是西方哲學體制的發展。但是回過頭來說，我不太贊同蕭若元先生[15]所言之儒家是一種實用、現實主義。儒家的確關心「未知生，焉知死」，但是關於良心並不是一般說的生物演化這麼簡單，而是人類共同生活裡面所謂的最大公約數。很多東西是有差異，但是人類的誠實、對人的尊重，或者人際支援，例如說醫院關懷之類全部都是「內聖」的部分。所以一句話就是：內聖是通過實踐修養而顯露的。

**趙**　若要追本溯源，我們必須重新解讀馬克斯・韋伯[16]的兩部重要作品：《新教倫理與資本主義精神》和《中國的宗教：儒家與道教》。在《新教倫理與資本主義精神》中，韋伯透露了一個重要觀點：職業理性並非單單由工商業進步自然推動，反而，宗教在其中起了關鍵作用。新教信仰讓人們透過職業證明自己為上帝之選，於是成為職業人士便成了每個人的命運。

此外，我們不可忽視余英時教授在《中國近世宗教倫理與商人精神》中的深入研究。他探討了一個「韋伯式」的問題：中國的儒家、佛教和道教的倫理思想，是否對明清時期的商業發展產生了推動效果？他從這三大宗教的世俗倫理與社會影響的角度，考察了宗教之間在世俗倫理方面的交互作用和互動，尤其注重禪宗對理學的影響，並深入探討了宗教和道德觀念對中國商人階級的塑造。

這種觀點的根源在於中國儒家文化的特殊性，它強調的是現世的價值觀，並特別重視家族和子女的地位。與之形成鮮明對比的是，在舊教的統治下，西方社會存在各種對物質財富的限制，如必須將部分遺產捐給教會、在生前捐獻一部分財產，甚至存在著贖罪券制度等。然而，在儒家文化中，這些限制並不存在。

牟宗三先生的貢獻亦甚突出。他成功地將儒家的思想與康德的道德哲學結合起來。康德主義強調義務論，與效益主義形成了鮮明的對比。牟先生運用康德的義務論，對「內聖外王之道」的概念進行了重新詮釋。這兩種思想之間的關聯性，無疑是值得我們進一步探討的問題。

**陶**　簡單來說，牟宗三的所謂道德哲學引用很多康德理論。因為我們說中國哲學的良知，包括孟子的四端之心是有一些心理學傾向。例如同情心、羞惡之心都涉及一些心理問題。為甚麼他要用康德？因為康德有一個很特別的結構性推論。他說道德如何可能，而不是問是否有道德，這裡是假定道德已經存在了，例如買菜時對方不會欺騙你的一種行為。道德行為是存在，但道德行為如何「可能」呢？他就推理出一種邏輯的充分必要條件，即必須要有自由意志。所謂自由意志，不是我們平時生活中選A或者B的簡單選擇，而是要頒布一種律則。這個律則需要自我遵守，構成一種自律性。我認為新儒家或者康德思想最難懂的地方就是這裡。

康德的墓誌銘很出名，就是天上的繁星和我內在的道德律，構成我對世界無限的感動。甚麼是內心的道德律？道德律沒有特定內容，相當於牟先生喜歡引用的孔子所言：「己欲立而立人；己所不欲，勿施於人。」[17] 我不願意做的事情，也不希望別人會跟著做。另一種謂我認為很合理的觀點，也希望其他人能接受。這裡預設人性擁有一部分，像康德所言的「高等的能力」[18]，另一部分屬於我們情慾、求生，或者滿足慾。人是有兩面性，不然就變成清教徒了。[19]不同的是高層的方面必須要很嚴謹地證明其是自由的，這也是新儒家內部一個相當困擾的問題：甚麼是自由？

康德本身未能證明我們的意志必然自由，他只是理論上假設，若道德能成立，則道德法則必須出自自由意志之下，否則責任將何歸？他批判宗教的主要觀點在於：如果我按照神的指示行事，那我對神負責，而不是對自己負責。比如，我不能殺人，因為神的十誡告訴我不能殺人，但如果不是「我自己」認為不應該殺人，那你的責任就會落空。

康德的論證只能是理論層面，而新儒家比較複雜的地方在於需要在存在上證明「人皆有良知」。哈佛大學研究指出人類有百分之四是缺乏同情心。這些人對別人的死活漠不關心，只有報復心理，甚至他們其實很懂人性，例如毛澤東、史太林[20]等等很懂得操控人性，但看到人的死亡是無動於衷的。這種情況作為新儒家要怎麼回應呢？你說人皆有四善，孟子說人皆有是非及四端之心。這個「皆」字有兩個說法，到了我現在的年紀我也想修改一下這個觀點。

其中一個情況，例如它是反過來說百分之九十六的人都有同情心，雖然有些比較弱，但基本是有些許的。起碼百分之八十以上的人有正常的同情心。按照這個規律，於是那百分之四應該如何解釋呢？這些狀況很可能是由於基因上影響的一種病態，又或者這種基因病態加上後天的文化教育所致，可能他長期被父母虐待，或者生於一個戰亂的情景下，如劉德華一部叫《投奔怒海》的電影描述的情景。[21]這種境況下，「後天旦旦而伐之致牛山濯濯」的影響就很大。[22]用這個方式解答我覺得相對平衡一些，現代一點的說法就是人跟數學的 LCM（最小公倍數）一樣。我們有不同的興趣、愛好、才能、經歷，但人本身對誠實、尊重或者愛心之類的概念似乎放之四海而皆準。

**趙** 我之前讀過任教於哈佛大學醫學院瑪莎・史圖特博士（Martha Stout）所寫的《4%的人毫無良知：我該怎麼辦？》，書中闡述的觀點非常引人入勝。它提出，那些被認為是「毫無良知」的人只佔人口的百分之四，而「接近毫無良知」的人卻相對眾多。儘管這些人的行為讓人厭惡，但他們在社會上仍然有很多支持者。這些「毫無良知的人」共享一個可能的特徵，那就是他們的腦前額葉可能存在著先天或後天的損傷。[23]

這部書以及邁可．桑德爾的《正義：一場思辨之旅》都提到了一種引人深思的問題：對於因精神疾病導致行為異常甚至犯罪的人，我們該如何看待他們，是作為罪犯，還是作為病人？[24] 讓我們考慮一個實際的案例。

美國俄亥俄州的比利在一九七七年因涉嫌連續強暴案而被捕。從比利的悲慘生活談起，真名威廉．密里根（William Milligan）的比利自小生活環境惡劣，屢次目睹母親改嫁，並在八歲起遭受繼父查爾默的肉體及性虐待。這段黑暗的童年讓他開始產生多重人格作為一種保護機制。

比利因搶劫和連續強姦而被捕。但在審訊中，他的行為變幻莫測，且對自己所犯下的罪行毫無記憶。這導致警方難以取證，最後請來精神科醫生診斷他，並確認他有多重人格障礙。由於這種病態，比利被判無罪。他被送進州立利馬醫院接受強制治療，但在治療過程中受到非人道對待，曾多次嘗試自殺。這些經歷使他的病情加重，最終形成了二十四種不同的人格。經過長達十年多的治療後，比利於一九八八年終於獲釋。

然而，他對自己所犯下的罪行完全無記憶。他被診斷出有多重人格障礙，內心有二十四個獨立的人格，其中一些人格承認犯下了罪行。

在這樣的情況下，我們面臨著一個難題。如果比利的其中一個人格犯下罪行，我們是否應該懲罰所有的比利，包括那些未犯罪的人格？如果他們認為他們的行為是由精神疾病引起的，那我們應該將他們視為罪犯並處以刑罰，還是視他們為病人並提供治療？[25]

這種挑戰不僅涉及我們對於「罪犯」和「病人」的定義，還牽涉到我們對於「自我」的理解。在儒家學說中，我們有一句說法：「人皆有惻隱之心。」在這裡的「皆」，我們常常將其理解為絕對的「全部」，但實際上，我們應該將其理解為「一般情況下」或「大多數情況下」。然而，如果我們將「皆」理解為「全部」，這種簡化的解讀會導致儒家學說只適用於那些普遍的人和文化，即大約佔人口的百分之六十。

我們必須認識到，這種理解簡化了我們對人性的理解，我們必須接受並理解人性的多樣性，包括那些由精神疾病引起的行為異常。在這種情況下，我們必須重新審視我們對「正義」和「道德」的理解，並尋求在處理這種情況時保護所有人的尊嚴和權利。

這個案例帶給我們一個深入思考的問題：對於像比利這樣的案例，我們該如何去認定他們的罪責？或者說，這種人是否應該視為犯罪者，或是病人？如果我們要懲罰他們，那麼我們該如何量化和劃分他們的罪責？這些問題是我們在探討正義，尤其是在儒家學說的框架下，必須去思考的問題。

儒家學說認為人性本善，而且人人都有通過「學」與「教」改變自己的潛能。「是求有益於得」。但如果我們承認了「例外」的存在，那些所謂的「沒有同情心」的百分之四的人就可以推卸責任，因為他們無法改變自己。然而，這些「例外」與史太林等人的罪行有何區別呢？這些罪行是自主的選擇還是由於身心障礙所導致的呢？一旦我們接受了「例外說」，我們就可能將這兩種情況混淆。更重要的是，任何正常人在特定情況下都有可能變成那個「例外」。（編者案：如我們將在下文討論的囚犯實驗和路西法效應〔Lucifer effect〕等。）

**陶** 我自己用一個方式來解讀，就是用佛家、道家的理論放進去。因為現實世界總是存在貪、嗔、癡，[26]這本身由於生物求生本能，還有自私基因，又或者每個人以自我為中心的一種存在處境。哲學家經常感慨，現實的人生有很多煩惱、痛苦、壓迫，我們需要承認這事實。當然我們用儒家的觀點來說，就是希望人類可以進入更高一級的反省，對社會上的其他人，無論教育或者政治方面都可以給予尊重。再進一步就是人與人之間，可以慢慢建立某些體制或者教育之類，讓我們可以把「善」向外推廣。

**趙** 到了這裡，我們做一個簡單總結。關於黑格爾的辯證法，剛才你提到的是非觀以及

「內聖外王之道」，是否可以解救遭黑格爾辯證法主宰了數十年而出現道德社會敗壞的中國？另外，面對道德及社會的敗壞，很多人還在用黑格爾辯證法表示這是社會必要之惡。在現今是非越來越模糊的社會中是否可以重新提倡儒家、新儒家，或者「內聖外王之道」。是否可以像吳森先生所云用中國文化作為救治世界的良藥呢？[27]

**陶** 我的觀點在於，由於馬克思的理論主要基於黑格爾的辯證法，我們需要從辯證法的內部進行批判。我認為黑格爾或馬克思的辯證法過於僵化，且將所有事物依據「主觀、客觀、絕對」的劃分比例去理解是不合適的。即便在西方，許多存在主義者都對黑格爾進行了批判。但馬克思的理論具有政治性，並非所有人都會對其進行批判或討論。

人類的思維方式十分獨特，從公元前八百年至公元前二百年的「軸心時代」開始，我們開始反思人的價值。這是一個奇妙的轉變期，西方有蘇格拉底，中國有孔子，印度有佛陀。人們不再僅關注權力、奴役或神權等議題，而是開始對人的存在意義以及人應如何生活進行深思。隨著思維的發展，我們的政治體制也進行了調整，如法國大革命，或中國從六國統一逐漸演變到各種不同的君主制。

近代西方社會在批判神權後，人本主義、自由和民主觀念逐漸興起。而相比之下，中國在這些觀念上的發展相對滯後。雖然中國有著深厚的文明，但我同意蕭若元先生所言：我們的某些觀念過於根深蒂固，要改變這些觀念非常困難。我們也認識到儒家價值不僅在經濟上強調勤奮等觀念，更為人們提供了一種安頓的生活處境。即使面臨困難，家庭始終是最好的融合點，既符合人的感情需求，也適應社會的結構。

對於馬克思主義，或者說對於大陸的思維模式，我們從康德的理論角度來看，當一個國家失去誠信，甚至老太太也會欺騙他人，我們無法信任他人，「碰瓷」這類行為就會出現。勞思光在其書《歷史之懲罰》中對此有深入的討論。他認為，長期的謊言或者刪除某些領導人的照片，並非簡單的問題，其背後的問題在於，長期的謊言導致的歷史懲罰就是：沒有人再相信任何言論。這就像對大陸的任何言論，香港人基本上都不會相信。雖然我們知道這種不信任可能有過度反應的成分，但這正是信譽破產所帶來的歷史懲罰和代價。

另一方面，我個人，以及牟先生的一些想法，深受佛教「業力不可思議」的影響，我們認為未來是不可預知的。任何事物，無論是人性、政治還是科技，都是一個極度複雜的互動系統，單靠數據預測是遠遠不夠的。然而，我們相信，人性中的尊重和善良可以成為維護社會穩定及和諧的關鍵因素。這就是我們的總結。

至於儒家的「內聖外王」，也不用覺得它是一個很偉大的理論，甚至「外王」的部分其實也很蒼白。只不過我們把內聖作為外王的存在基礎，這一點我是支持的。至於大陸方面，它也不算是一個效益主義。效益主義有時候會受制於客觀社會條件的改變而修補。它也不是道德主義，不是真正相信誠實或者人的良知。一言以蔽之，其實它是一套虛假的觀念。所以牟先生最喜歡說的就是：這是一個觀念的災禍！我們用一句話來說，便是「上不知天，下不知地」的混亂觀念。它既沒有像基督教那種神聖感，又沒有觸碰到〈人間世〉那樣對人與人之間有一種基本的關懷。[28]它是一種懸空的觀念及思想的幻象。

**趙** 目前我們常提到效益主義，其主旨在於追求社會效益的最大化。然而，現今在中國，似乎不僅追求社會效益的最大化。以奶粉事件為例，一般情況下只有奶粉商追求效益的最大化，而揭露奶粉問題的人最終卻受到逮捕。從效益主義的觀點來看，這似乎是無法解釋的矛盾之處！除非我們從權力的視角去解釋，就可以理解這種矛盾：在一個權力高於道義的社會，追求社會效益的最大化可能被權力的利益所取代。

**陶** 總而言之，我們可以稱之為「最後的私心」，即不惜一切代價維護權力的行為。這種維護權力的行為是缺乏理性的，就像以前的貴族害怕與他人分享利益一樣。這種自私的感覺在人類歷史上通常是集體專制的表現，並不具備理性。當權力的維護超越了其所帶來的社會效益，這種權力便失去了其合理性。這種現象顯示了我們需要在追求最大效益的同時，也要關注權力運用的理性和公正。

**趙** 其實回歸馬克思所說的，就是擁有生產資料（Means of Production）的資產階級

（Bourgeoisie）去壓迫無產階級（Proletariat）。馬克思主張，資產階級因其控制生產資料而在社會經濟結構中佔據主導地位，而無產階級由於缺乏生產資料，只能以出賣勞力為生，由此形成一種壓迫與被壓迫的社會關係。這種關係並不是自然形成的，而是由特定的社會經濟結構和權力關係塑造的。因此，改變這種關係需要對社會結構和權力關係進行深刻的改變。

1 勞思光（1927-2012），本名榮瑋，字仲瓊，號韋齋，祖籍湖南省長沙縣。香港中文大學哲學系榮休教授及臺灣中央研究院院士，新儒家學說的代表人物；牟宗三（1909-1995），字離中，已故前香港中文大學新亞書院哲學系主任。兩位均為新儒家學說的代表人物。

2 「天下」一詞為中華文化圈裡常用對世界稱謂的概念，見石介〈中國論〉：「夫天處乎上，地處乎下。居天地之中者曰中國，居天地之偏者曰四夷。四夷外也，中國內也。天地為之平內外，所以限也。」；「正統」一詞泛指政權的合法性，歐陽修於〈正統論〉謂：「《傳》曰『君子大居正』，又曰『王者大一統』。正者，所以正天下之不正也；統者，所以合天下之不一也。由不正與不一，然後正統之論作。」

3 馬克思主義（Marxism）是由德國哲學家卡爾・馬克思（Karl Marx，1818-1883）及弗里德里希・恩格斯（Friedrich Engels，1820-1895）提出的一種以歷史唯物主義、辯證法和對資本主義的批判所發展而出的經濟、政治和社會世界觀，對世界政治及學術思想產生重大影響。

4 格奧爾格・威廉・弗里德里希・黑格爾（Georg Wilhelm Friedrich Hegel，1770-1831），德國哲學家、教育家，十九世紀唯心論哲學的代表人物之一，其提出歷史哲學及「正反合」唯心辯證法；伊曼努爾・康德（Immanuel Kant，1724-1804），啟蒙時代著名德意志哲學家，德國古典哲學創始人，其學說影響近代西方哲學，並開啟了德國唯心主義和康德義務主義等諸多流派；勒內・笛卡爾（René Descartes，1596-1650，臺譯：笛卡兒），法國哲學家、數學家、科學家。

5 亞里士多德（Aristotle，384-322 BC），古希臘著名哲學家；同一律（The Law of Identity）：如果 P 是真的，則 P 是真的。反之亦然。有關解釋見彼得．A．安傑利斯（Peter A. Angeles）著，段德智、尹大貽、金常政譯：《哲學辭典》（臺北：貓頭鷹出版，一九九九年），頁二四〇—二四一。

6 性善論認為人性本善，代表有《孟子》：「人皆有不忍人之心。先王有不忍人之心，斯有不忍人之政矣。」性惡論則相反，以《荀子》為瞻：「人之性惡，其善者偽也。」

7 出自《莊子．天下篇》。

8 資料來源：〈牟宗三略談中國文化〉，Bilibili（https://www.bilibili.com/），二〇一七年二月七日。

9 「無知之幕」（Veil of Ignorance）一詞由約翰．羅爾斯（John Rawls）於一九七一年的《正義論》（A Theory of Justice）明確提出，指出每人均受「無知之幕」約束，故在互不相識從屬下僅有「公平即正義」（Justice as Fairness）原則。基於此前提下各人會訂立符合大眾的社會契約去保障權益。

10 人本主義／人文主義為一種哲學主張。它把(a)理性的個人看成最高價值；(b)認為個人是價值的最終來源；(c)用有意義的和理性的方式而不涉及到超自然的概念來致力於培育個人的創造性和道德的發展，見《哲學辭典》，頁一八四。

11 相對主義認為價值隨社會、時間、空間、人種而變，並沒有絕對標準，見《哲學辭典》，頁三八一。

12 大慶油田是一九五九年九月二十六日發現的中國第一大油田，世界十大油田之一，年產量四千萬至五千萬噸，位於黑龍江省大慶市。然而在開發的過程中，有不少人在挖掘、開採期間犧牲。

13 毛澤東（1893-1976），字潤之，湖南湘潭人。中華民國大陸時期、中國共產黨和中華人民共和國的重要政治家、軍事家。中國共產黨第一任中央委員會主席，中華人民共和國第一代最高領導人。其對二十世紀政經發展特別是共產主義影響深遠，然後評價趨於兩極。

14 馬庫斯・圖利烏斯・西塞羅（Marcus Tullius Cicero，106-43 BC），古羅馬共和國晚期的哲學家、政治家、律師、作家、雄辯家。

15 蕭若元（1949-），香港著名傳媒人、時事評論員、網絡意見領袖（Key Opinion Leader，KOL），現已移居臺灣。

16 馬克斯・韋伯（Max Weber，1824-1920），全名馬克西米利安・卡爾・艾彌爾・韋伯（Maximilian Karl Emil Weber），是德國的哲學家、法學家、社會科學家，他被公認是現代社會學和公共行政學最重要的創始人之一。

17 前句出自《論語・雍也第六》，後句見《論語・顏淵第十二》。

18 這裡指直言令式／定言令式（Categorical Imperatives），則一切道德行為均被認為是決定性理性基礎的必要和絕對的道德律。見《哲學辭典》，頁五十六。

19 清教徒（Puritan）指英國於十六世紀後半葉出現，要求清除英國國教會內保有羅馬公教會儀式的改革派新教徒。此群體多受喀爾文主義影響，要求信眾以《聖經》為真理的唯一標準，並嚴守戒律。上述清教徒受其時英國皇室迫害而移居美洲，並憑著上述性格發展美洲新大陸，終逐漸造就現今的美國。

20 祖瑟夫．維薩里奧諾維奇．史太林（Joseph Vissarionovich Stalin，1878-1953，臺譯：約瑟夫．維薩里奧諾維奇．史達林）是俄國革命家和前蘇聯政治、國家、軍事、黨派人物，從一九二〇年代末期至逝世一直是前蘇聯最高領導人。

21 劉德華（1961-），香港著名藝人，二十世紀九〇年代樂壇「四大天王」之一；《投奔怒海》（1982）由許鞍華導演，是一部以越南共和國（南越）滅亡後為題材的香港電影，是許鞍華「越南三部曲」的最後一部。

22 「旦旦而伐之」、「牛山濯濯」同出自《孟子．告子上》。前者比喻不斷的毀損；後者本指山上無樹木，今多用以戲喻人禿頂無髮，陶氏用本義作比喻。

23 Martha Stout, *The Sociopath Next Door*. (Portland, OR: Broadway book, 2005).

24 邁可．約瑟．桑德爾，又譯為沈岱爾（Michael J. Sandel，1953-）為美國政治哲學家、哈佛大學政治哲學教授、美國文理科學院院士、社群主義。此書指 Michael J. Sandel, *Justice: What's the Right Thing to Do?* (New York: Farrar, Straus and Giroux, 2009).

25 《24 個比利》（The Minds of Billy Milligan）一書講述美國人威廉．密里根（又名比利．密里根〔Billy Milligan〕）為犯下多種嚴重罪行的犯人，然因患有多重人格障礙症而獲判無罪，引來討論。

26 佛家言「貪、嗔、癡」為「三毒」，會種下業障，故需拋棄。

27 此段出自吳森《情與中國文化》。

28 莊子於〈人間世〉提出自己的處世之道，如：「人皆知有用之用，而莫知無用之用也。」

# 民主的價值：
# 「獅子與狼」之喻

**趙**　陶先生，我們之前的對話中經常提到一個觀點。有些人會批評我們站在西方人的立場和價值觀來討論問題，說我們是「西奴」。當我聽到這些話時，不禁感到可笑。這種批評「西奴」的語言是一種以偏概全和思維僵化的表現。我們無論是從中國古代傳統文化的深入研究，還是從西方學者對中國的評論和觀點中，都能獲得豐富的思想和觀念。在當今全球化的世界中，接觸和學習不同文化的思想是一種豐富和開放的態度，並非背棄本土文化或忠於特定立場。這些學者的研究和觀點都在一定程度上豐富了中國的知識體系，並對我們思考和理解當前社會問題提供了啟示。因此，我們應該擺脫僵化的思維模式，以開放的心態接納不同文化和觀點的交流。這樣才能夠更全面地理解和探索世界，並在這個多元的時代中發揮自己的智慧和創造力。

我一直以來都廣泛閱讀了許多中國學者的著作，其中有幾位對我的影響深遠。余英時研究了「知識人」和中國文化之間的關係，追溯了從古至今追求理想價值觀的歷程，以及中西文化交匯的問題。錢穆則提出我們應該對中國文化抱有溫情敬意，同時反對那些有損中國文化的政權。唐君毅則對孟子所說的「無惻隱之心、無羞惡之心、無辭讓之心、無是非之心，非人也」進行了深入解釋，並闡述了由此產生的四種美德，即「仁、義、禮、智」。這些學者的觀點對我影響深遠，令我印象深刻。[1]他說惻隱之心的意思是對身邊的人，特別是一些弱者的同情、憐憫。一個人如果有惻隱之心而看見有人受到迫害，絕不無動於衷。[2]「義」即公平正直的心。在一個經濟發展穩定的社會，往往仍有少數人飽受壓迫。[3]當他們生活自由經常受到局限時，我們是否袖手旁觀？「禮」是指謙讓自己，尊重別人。「智」是明辨是非之心，例如你怎麼去幫助一些遭壓迫者並站在他們的角度說話呢？[4]

關於以上種種問題我不單關心中國，更關心全世界不同地區。當然基於費孝通所講的「同心圓文化」下在程度有分別，畢竟這就像漣漪一樣擴散，而中間那一波是我們核心之所在。[5]不過，香港往往有一些建制的支持者，特別是「深藍」人士[6]說的東西是完全跟中國文化所追尋的有衝突，但是他們又能夠「理直氣壯」。有關此情況你會怎麼理解？

**陶**　這個問題很難回答。或者在身份認同上，有的人會很強烈認同自己是中國人，有的是香港人，有的根本是反大中華[7]等多種模式。有一個學生向我反映，說一些立場親建制的人士與其對談時覺得示威行為是徒勞的。[8]一方面中國共產黨不會改變其立場，[9]另一方面於現今中國文化發展的階段進行這些行為是浪費心神的。這種悲觀的情調引起我的疑問並思考該怎樣回應這一類所謂「藍絲」的言論。本來使用顏色把人予以定型頗為不佳，然因此代表符號方便，大家一聽就知道「深藍」的意思就是很強烈維護中國文化傳統、保持穩定，甚至對於政治體制要體諒、支持的一類人。

**趙**　但是我又覺得他們很多其實是反對傳統中國文化的。他們是比較支持目前的社會制度。我覺得這麼形容會合適一點。

**陶**　有幾個類型。我感覺有的就是支持中國這個觀念，但跟共產黨有點疏離。一部分人認為我們的國家繁榮強盛，已經站起來了。所以我嘗試條分縷析一下去回應。第一，中國其實是分開兩個層次的，我們以前也提過就是「文化中國」和「政權中國」。「文化中國」是歷史性的。[10]語文、習慣、風俗等等會令我們對民族有一種認同感。你讀李白的詩是比莎士比亞的詩親近，或者你遊長江、黃河的時候會比多瑙河更有體會。[11]我們繼而理解這就是一種具親近性的文化意識。

「政權中國」我們應該說是共產黨一黨專政下的中國，這樣就來到回應的第二點，就是中國共產黨其實是有兩層的。[12]一層就是毛澤東時期具有浪漫、烏托邦理想主義，欲達到共產世界的共產黨。現在的共產黨自鄧小平「改革開放」以後，其實真的是向錢看，變成了一個利益集團。[13]

**趙** 上世紀八〇年代時有一個笑話流傳開來，它以輕鬆詼諧的方式揭示了社會的變遷。笑話說過去人們高舉著向前看的旗幟，意味著追求進步和發展，而現在人們卻改變了觀點，將目光轉向了金錢。同樣地，過去人們高舉著為人民服務的理念，強調為民眾服務的責任，而現在卻變成了為人民幣服務，[14]意味著金錢成為了主導一切的動力。這個笑話在一定程度上反映了當代社會的現象。隨著經濟的快速發展和市場經濟的推進，人們普遍關注金錢和物質利益的追求，而忽視了價值觀和社會責任的重要性。這種轉變可能源於人們對於個人利益和生活品質的追求，也可能受到經濟體制和價值觀變遷的影響。

**陶**　對！這些都很諷刺。那時候吳明德教授[15]提到中國現在有九千萬共產黨員，但很有可能把家屬也算進去。其中大概一千萬左右佔中國總體人口百分之四，但是這個群體擁有了中國百分之八十的資源。我相信因為他是銀行家，故有很多統計數據。在這種處境下，我們要承認中國雖然有部分人富起來，但仍是一個充滿社會不公義、貧富差距很大的國家。所以第三點就是當一個體制到了這麼的一個階段，利益集團會不會自動放棄他的利益呢？這就是關鍵，但似乎不可能。以前的貴族在法國大革命的時候，也不會自動放棄利益。那麼到底怎麼改善這個體制呢？我們可以思考一下民主抗共，也可以和平示威等很多種方式，這個暫時不討論。不過我們所知的是這個本質上不合理的體制已經到達了一個相當大的極限，而在位者是不會放棄權力的。因此第四點說的就是「一國兩制」是一個永恆宿命的問題。他只是一個手段，到最後他不會真的讓你實現。於是香港整個政治體制本身就是不平衡，甚至在此背景下有合法性危機。以前還有一個浪漫理想，但是現在更加變成是一種剝削式的形態。[16]

那麼最後說一下「深藍」的「上街無用論」。我想用兩點關於民主政治的理由回應。一個就是倡議民主政治的洛克（John Locke）說政治是一個必然的惡。參與政治的人大多數都是好名、好利、好權的，他們在政治體制裡面有很多的操弄，但是我們又沒有辦法失去了那一個合理的政治體制，所以他是一個必然需要的惡。[17] 另外我其中一位老師勞思光先生說民主政治其實不是最有效的體制，只不過是有一樣最重要的東西，就是它避免少數的人犯下不可逆轉的惡！[18] 我們現在這個處境正好解釋這句話的意思，假如現在的習主席[19] 等等都是偉大的理想者，但他們也有許多失誤。問題是當將來有一個更大，甚至是心理上不正常的人，他又可以籠絡這個國家機器的時候，就真的變成了不可逆轉的惡了！

**趙**　我完全同意這一觀點。在我長期的教育實踐和民主政制的論述中，我也持續強調了這一觀點。我認為，這個問題可以用經濟學中的交易成本理論來解釋。民主政制在效率上可能較低，但其交易成本相對較小，主要因為它具有一套有效修正錯誤的機制。然而，像專制政權、威權統治或集權統治等模式（如「新加坡模式」、「中國模式」、「俄羅斯模式」）雖然具有高效率，但一旦犯下重大錯誤，付出的成本可能將成為整個社會的災難。[20]

這種觀點提醒我們，選擇政治體制不僅需要考慮效率，更需要考慮其對公共利益的影響及其修正錯誤的能力。高效率的統治模式可能在短期內帶來穩定和迅速的發展，但如果這種模式不尊重公眾的意見和利益，或者在錯誤出現時無法及時修正，那麼這種模式的效率優勢就可能變得毫無意義。相反，雖然民主政制在決策效率上可能略遜一籌，但是它在保障公民參與、確保個人權利和言論自由方面具有顯著優勢，且具備了有效的自我修正機制。

**陶**　我想進一步回應一下，關於我們現在參與上街遊行等行動的意義。實際上，民主政制中有一個非常重要的制度叫作監察制度。這個制度扮演著重要的角色，因為它能夠防止少數人因個人意志的不當行為而導致無法挽回的惡果，尤其是當他們擁有軍事權力時。

這些惡行包括對人民的殘害、將人們投入監獄，甚至是浪費經濟資源等。因此，在我們參與的這次上街遊行中，時事評論員文昭提出了一個我非常欣賞的觀點。[21] 他說香港人在這裡獲得了一種罷免權。儘管這不是在體制內或是在中央政府範疇內的罷免權或制衡，但我們每個人都有信心。當出現極端不合理的情況時，我們會走上街頭。這引出了一個著名的民主政治故事，稱為「獅子與狼」。我想邀請趙博士來分享一下這個故事。

**趙** 你講講吧，你講得比我精彩。

**陶** 我未必的。故事是關於天神對一群羊說話的情境。天神對羊群說：「你們需要一個統治者。現在有兩個選擇。這裡有一隻獅子，你們可以在兩頭獅子中任選一頭，還可以隨時更換。另外，你們也可以選擇一群狼，狼的數量只有五、六十隻，但牠們的食量較小。一旦你們做出選擇後就不能再更改。」羊群聽了之後開始思考。有些羊認為選擇狼群比較好，因為牠們的食量較小。儘管情況仍然困難，但相對穩定。然而，還有一些羊則主張選擇獅子，儘管獅子可能具有兇猛性，但至少可以隨時更換。結果，羊群在這個選擇上產生了分歧。獅子來了之後就大開殺戒，吃了新鮮的羊等等，甚至要很好的小羊牠才吃。大家都不勝其煩了，於是向天神投訴。天神就召了獅子回去，派了另一隻獅子下來，但另一隻獅子來到後又大開殺戒。如此經過了很多輪這樣的屠殺之後，獅子開始發覺有一個危機點。如果你不斷無止境地大開殺戒的話，他們就可以否決你回去，送你回天庭。天庭上沒有羊吃，牠會很餓。

這個寓意的大概想法就是跟著狼群的那批人是永遠受著剝削，只能夠不斷地臣服著。但是另一批選擇獅子的會逐漸得到一個妥協方案。情況有如資本家不過分剝削我們的話，我們會讓你賺錢，但當你太過分的時候，我們就把你趕回天庭。這個故事想表達的意思就是民主最重要的地方就是它的罷免權、監察權。

**趙**　這也是孟子所講的「不違農時，穀不可勝食也；數罟不入洿池，魚鱉不可勝食也；斧斤以時入山林，材木不可勝用也。穀與魚鱉不可勝食，林木不可勝用，是使民養生喪死無憾也。」[22]民主政制的政治家要考慮連任及其政黨是否能夠繼續營運。這些政治家經常做壞事，但是他不會把所有的魚都拿來吃。反之專制的極權統治者，譬如卡達菲、穆巴拉克，[23]或者即使是開明的專制政權如中國共產黨、新加坡政府等在制度上是可以拿走你的一切。至於其開明與否純粹是一念之差。中國歷史的皇朝盛世不過兩、三代，原因是你無法保證他的下一代仍然是開明的。有些君主年輕的時候是開明的，晚年也可能會變成昏庸無道，比如乾隆、唐太宗、唐玄宗、漢武帝等，莫不如此。[24]所以人類經過幾千年的教訓後，我們得出民主政制是成本最低的。你只要稍微有明辨是非之心，也很容易得出這個結論。

**陶**　所以我們希望大家能夠有一種共同的理解。因為這一次我們整個香港都受到了一個議題衝擊的時候，有一個說法也挺對的，就是林鄭是一個「代罪羔羊」。[25]你們可以看看警察似乎沒有人喊過口號支持林鄭，建制派跟她割席，青年人把她看作反面對象，而建制中的「深藍」都覺得這一次林鄭做錯了。[26]所以這是一個很奇怪的歷史機緣，就是說大家不約而同聚焦在一個人物上面，而反射出來的是原來我們還是有一些共同的價值信念。這個信念在沒有進一步的撕裂下，其實是一個民主的基石，能夠取得一個罷免、監察的作用，中央也不至於為所欲為。大家在這一次運動中應該要堅持。

有一個說法我想補充一下，那就是年輕人還未進入一個成人世界。成人世界的定義就是要經濟獨立，經濟獨立後才會有自己個人的選擇。現在上街的年輕人當然大部分都是還未就業的，即使已經就業了薪金也未必很高。於是他們對建制或者社會總是有一種不滿。另外，他們還未到達所謂足夠支撐自己獨立的時候，他們的責任感是沒有那麼強的，故他們的衝擊源自氣盛。毛澤東有一句話說得挺好的，就是「年輕人是八、九點鐘的太陽」，[27] 剛剛升起時不像中午的太陽那麼暴烈。但是升起時他有理想、朝氣，但開始會走向人生的拋物線，未來慢慢進入成人世界。他也可能會為名利或其他東西而磨滅了初心。所以其實在一個社會中年長之人要珍惜年輕人那種上進心，甚至是要求公義的心。當然這並不是要支持他們犯法，而是應該了解他們這次推動社會的運動。

**趙**　這種現象並不只出現在年輕人之中。以我四歲的女兒為例，她的道德標準甚至超越了我們許多成年人。她嚴格遵守交通規則，不會隨意穿越馬路，而且當她說謊時，她會有羞愧感。我認為，隨著年齡的增長，我們成年人常常會因為與個人利益的關聯而淡忘最基本的道德責任和初衷。相對於我們，學生或青年人在歷史上經常是許多重大社會運動的發起者，因為他們相對不受經濟誘因的影響，能夠堅持原則。因此，我認為這種現象並不只與年輕人的衝動有關。

**陶**　你的觀點很有道理。這讓我想起唐君毅先生的一段話，他曾說，當一個人進入成年世界後，他會尋求穩固的社會地位和足夠的財富來保證自己的獨立性。他在追求這些目標的過程中，學會了利用語言的力量來說服他人，甚至不惜逢迎拍馬，以達到自己的目的。然而，長期處於這樣的環境中，他可能會逐漸忘記對生命的初步探索，對真理、善與美的追求，甚至為了追求利益而背叛自己的初衷。唐先生將這種人生轉變比作拋物線，人到達生活的高點後，往往開始走下坡路。因此，我們作為成年人，需要時刻警惕自己，並學會從這些事例中吸取教訓。

**趙**　我最後補充一點。我想借用老師饒宗頤教授的理論來對「文化中國」和「政權中國」

做進一步的討論。饒教授在其著作《中國史學上之正統論》中，提出了評價一個政權是否正統的兩個主要因素。首先，一個政權的建立，是否源於民心所向，並藉此取得治理權力，還是通過篡奪權力而建立起來的。在現代中國，這種評價方式可能較難套用。其次，他探討了該政權是否傳承了中國文化，還是選擇了反對中國文化。歷史上有些政權，如元朝或清朝前期，曾選擇反對中國文化。饒教授認為這種以武力獲得權力、反對中國文化的政權，不是正統，而是「霸統」。[28]西方學界將其類似於古希臘的僭主政治。

饒教授又對於歐陽修的「正者，正天下之正，統者，統天下之統」的觀點持批評態度。他認為歐陽修過於實際主義，將得天下視為正統的唯一標準，卻忽略了手段的重要性。

所以，當我們評價現今聲稱愛國的人時，我們必須問清楚：他們所愛的國家是甚麼？是否真的愛中國？如果他們真的愛中國，那他們所支持的政權是否接納並傳承中國文化，還是一個西方紅鬚綠眼的馬克思呢？

1 孟子（372-289 BC），名軻，鄒國（今山東省鄒城市）人，戰國時期儒家代表人物，獲譽為「亞聖」。唐氏於此引用《孟子・公孫丑上》的段落：「……由是觀之，無惻隱之心，非人也；無羞惡之心，非人也；無辭讓之心，非人也；無是非之心，非人也。……」其整體論述見唐君毅（1909-1978）：〈與青年談中國文化〉，載氏著《唐君毅全集卷二至三：青年與學問》（臺北：學生書局，一九九一年），頁七十七—八〇。

2 現實中一些宗教社會不准女性讀書及追求自由婚姻，否則用石頭砸死，甚至女性遭人強姦要強迫其嫁給施暴者。目前聯合國一直有支援性別平等及提高婦女地位的工作，見"UN Women," United Nations (https://www.unwomen.org/en), accessed February 10, 2021；在中國，一些家長在「大頭奶粉」事件中因希望幫助小朋友討回公道而被捕，趙連海為其中之一，見〈【專訪】忍無可忍　趙連海對中國政府的大控訴〉，《立場新聞》，二〇一八年七月二十六日（擷取日期：二〇二一年二月十日）。

3 例如在美國，種族問題一直存在，特別是對部分黑人及有色人種的歧視。喬治・佛洛伊德（George Floyd）在二〇二〇年五月遭警員壓頸致死導致全國「黑命貴」（Black Lives Matter）乃至全球反歧視運動，見 Nadya Tolokonnikova, "A Year of Radical Political Imagination," *New York Times*, December 9, 2020 (Accessed February 10, 2021).

4 編者案：趙氏於此並沒有講述「辭讓之心」而衍生出的「禮」，茲予以補充。一個人如果有辭讓之心則對一切人倫秩序、人文世界予以尊重。見唐君毅：〈與青年談中國文化〉，頁七十九。然於中國爆發的無產階級文化大革命（簡稱「文化大革命」、「文革」，1966-1976）是破壞中國人倫秩序的典型例子，見 Frank Dikötter, *The Cultural Revolution: A People's History, 1962-1976* (London: Bloomsbury Publishing, 2016).

5 見費孝通（1910-2005）：〈差序格局〉，載氏著：《鄉土中國》（北京：三聯書店，一九八五年），頁二十一—八。

6 自二〇一四年末香港爆發雨傘運動後，「深藍」一詞泛指建制派／親中派的堅實、甚至激進的支持者。見〈【反修例】從百花齊放到只有藍黃：顏色能否代表我？〉，《香港 01》，二〇二〇年六月八日（擷取日期：二〇二一年二月十日）。

7 陶氏指盲目、非理性的大中華主義者。

8 二〇一九年六月十六日，香港大批市民響應民間人權陣線（民陣）呼籲上街遊行，抗議香港特別行政區政府意欲通過《2019 年逃犯及刑事事宜相互法律協助法例（修訂）條例草案》（俗稱「逃犯條例」）。抗議完畢後，民陣聲稱有近二百萬人參與遊行。見〈香港逃犯條例遊行：民陣稱近 200 萬人參與，再次破紀錄〉，《BBC 中文網》，二〇一九年六月十五日（擷取日期：二〇二一年二月十日）。

9 此處指中央共產黨領導下的中國政府。《中華人民共和國憲法》第一條列明：「社會主義制度是中華人民共和國的根本制度。中國共產黨領導是中國特色社會主義最本質的特徵。禁止任何組織或者個人破壞社會主義制度。」故中國政府必須由共產黨領導，見中華人民共和國中央人民政府：《中華人民共和國憲法》，中華人民共和國中央人民政府官方網頁（https://www.gov.cn/），擷取日期：二〇二一年二月十日。

10 「文化中國」一詞由杜維明於二十世紀八〇年代開始提出，認為「中國」是文化概念而非單純的政治概念（即中華人民共和國）。見 Wei-ming Tu, "Cultural China: The Periphery as the Center," *Daedalus* 120, no. 2 (1991): 1-32.

11 李白（701-762），字太白，號青蓮居士，中國唐朝詩人。有「詩仙」、「詩俠」、「酒仙」、「謫仙人」等稱呼，活躍於盛唐，為傑出的浪漫主義詩人；威廉．莎士比亞（William Shakespeare，1564-1616），又稱「莎翁」，英國文學史乃至世界文學史上最傑出的劇作家、詩人、作家、文學家；長江，古稱揚子江，是中國及亞洲第一長河和世界第三長河；黃河為中國第二長河及世界第六長河，又名「母親河」；多瑙河（The Danube）是歐洲第二大河，橫跨中東歐多個國家。

12 官方謂中國政治制度是「中國共產黨領導的多黨合作和政治協商制度」，但此說法存在爭議。見中華人民共和國中央人民政府：《中國共產黨領導的多黨合作和政治協商制度》，中華人民共和國中央人民政府官方網頁，擷取日期：二〇二一年二月十日。

13 鄧小平（1904-1997），中國政治家、軍事家、思想家、革命家及外交家，是中國共產黨及中華人民共和國於一九七八年至一九八九年間的實際最高領導人。他獲譽為「社會主義改革開放和現代化建設的總設計師」及「建設有中國特色社會主義理論的創立者」，令中國走向富裕。然其於一九八九年「六四天安門事件」的處理上惹來爭議。讀者如對此段歷史有興趣，中華民國（臺灣）中央研究院近代史研究所通信研究員，中央研究院院士，前近代史研究所所長陳永發對此有詳盡分析。可參閱陳永發：《中國共產革命七十年》（臺北：聯經出版事業公司，一九九八年）。

14 人民幣為中國法定貨幣。

15 吳明德為退休銀行家，香港浸會大學及香港恆生大學兼任副教授。資料來源見其 Facebook 專頁：https://www.facebook.com/DrNGMingTak/，擷取日期：二〇二一年二月九日。

16 香港政府一向積極推廣由七〇年代起香港電台劇集《獅子山下》提倡的奮鬥上流精神，然而現今此價值瀕臨破滅。已故香港政府前中央政策組（現已改組為政策創新與統籌辦事處）首席顧問顧汝德（Leo F. Goodstadt）曾撰述論及香港管治失敗的原因，包括四任特首的失誤。見 Leo F. Goodstadt (1938-2020), *A City Mismanaged: Hong Kong's Struggle for Survival*（中：管治之失：香港奮力求存）(Hong Kong: Hong Kong University Press, 2018), 1-27. 有關「一國兩制」的運行及其未來走向，學者閻小駿在其書予以分析及預測，包括（一）維持成為既通中國亦同世界的高度現代化城市、（二）持續衰落至二〇四七年七月一日起結束「一國兩制」並成為中國的一線城市及（三）中國政府提早接收並派員接管香港。見閻小駿：《香港治與亂：2047的政治想像》（香港：三聯書店〔香港〕有限公司，二〇一五年），頁二四〇—二四一。

17 約翰・洛克（John Locke，1632-1704），著名英國哲學家，獲公認為自由主義之父，以其《社會契約論》及知識論等學說聞名於世。這裡的理論見 John Locke, *Two Treatises of Government: In the Former, The False Principles, and Foundation of Sir Robert Filmer, and His Followers, Are Detected and Overthrown. The Latter Is an Essay Concerning The True Original, Extent, and End of Civil Government* (London: Awnsham Churchill, 1689(Printed as 1690)), CHAP. XIV. Of Prerogative, §. 159-§. 168, https://oll.libertyfund.org/ (Assessed Date: February 11, 2021).

18 陶氏提及勞思光之說法見勞思光：〈政治制度的欺詐〉，載氏著、梁美儀編：《歷史之懲罰新編》（香港：中文大學出版社，二〇〇〇年），頁一三七—一五五。

19 習近平（1953-），現任中國共產黨中央委員會總書記、中國共產黨中央軍事委員會主席、中華人民共和國國家主席。中國現時的最高「黨和國家領導人」。

20 「新加坡模式」即自一九六五年新加坡獨立後自李光耀起所奉行的管治模式，包括小國需自強而要保持社會和諧的國家論述結構、實用主義哲學（pragmatism）與用人唯賢（meritocracy）等精神。見鄺健銘：〈論「新加坡學」——新加坡模式的五大啟示〉，《立場新聞》，二〇二〇年五月一日（擷取日期：二〇二一年二月十日）。鄺氏於該文註明此文為陳思賢（Kenneth Paul Tan）新書《新加坡模式：城邦國家建構簡史》所寫的導讀之一，原文見陳思賢著、鄺健銘譯：《新加坡模式：城邦國家建構簡史》（臺北：季風帶文化有限公司，二〇二〇年）。至於「中國模式」的定義眾說紛紜，一般定義以威權主義推動地方管治及經濟發展，以改善人民物質生活為主要執政綱領（隨著時間的推動可能有微調，如推行環保政策或因二〇一九年冠狀病毒疫情而改善公共衛生），當中亦有馬列主義傳統、歷史因素如百年恥辱史觀等因素在內發酵。最近英國牛津大學現代中國歷史與政治教授、聖十字學院院士、著名歷史學家芮納・米德（Prof. Rana Mitter）於《外交》（Foreign Affairs）把目前以「中國模式」生成的「中國力量」形容為「由威權主義、消費主義、全球野心及科技發展結合的關係網下千變萬化動態的力量」，延伸則見 Rana Mitter, "The World China Wants: How Power will-and Won't-Reshape Chinese Ambitions," *Foreign Affairs* 100, no. 1 (January/February 2021): 161-174.

21 文昭為海外中文自媒體工作者、網絡意見領袖（Key Opinion Leader，KOL），主要於其 YouTube 頻道《文昭談古論今》發表時事評論。

22 出自《孟子・梁惠王上》。

23 穆安瑪爾・卡達菲（Muammar Gaddafi，1942-2011，臺譯：格達費），已故前任利比亞實際最高領導者、非洲聯盟主席，自一九六九年起統治利比亞長達四十二年，後在二〇一一年

「阿拉伯之春」示威浪潮下引發的利比亞內戰中遇襲身亡；穆罕默德·胡斯尼·穆巴拉克（Muhammad Hosni Mubarak，1928-2020），已故埃及前總統、獨裁者，一九八一年起曾統治埃及長達三十年，後在二〇一一年「阿拉伯之春」示威浪潮下辭去總統職務，後在二〇一二年遭起訴並遭判處終身監禁。二〇一七年獲釋並於二〇二〇年去世。

24 乾隆晚年寵信貪官和珅致吏治敗壞；唐太宗晚年亦有疏懶之象；唐玄宗晚年管治期間爆發「安史之亂」；漢武帝的晚年爆發「巫蠱之禍」。

25 林鄭月娥（1957-），時任香港特別行政區政府行政長官。

26 有傳媒報導香港傳統建制派香港工會聯合會（工聯會）時任立法會議員麥美娟在二〇一九年六月十五日特首林鄭月娥宣布暫緩《逃犯條例》修訂時在會議上以粗口大罵「X街」，後期她不置可否，見〈【Kelly Online】麥美娟向林鄭爆粗「X街」建制派怨氣大爆發〉，《頭條日報》，二〇一九年六月十八日（擷取日期：二〇二一年二月十日）。

27 毛澤東：〈向莫斯科的全體中國留學生、實習生的講話（一九五七年十一月十七日）〉，載張迪安主編：《毛澤東全集：第三十八卷》（香港：潤東出版社，二〇一三年），頁三一八。

28 饒宗頤（1917-2018），字選堂、伯濂、伯子，號固庵，尊稱為饒公。已故香港國學家，在中國研究、東方學及藝術文化多方面有成就。與季羨林齊名，學界稱為「南饒北季」。趙氏引用饒公之理論見饒宗頤：《中國史學上之正統論》（北京：中華書局，二〇一五年），頁八一—八六。

# 自由：普世價值的探索——蕭若元與哈佛博士吳錦宇的辯論解析

**趙**　我們今天在香港中文大學哲學系裡，有機會討論到一個深刻的議題，真是相當適合。最近，雷德蘭茲大學的政治學教授吳錦宇，他於一九七八年在哈佛大學取得政治學博士學位，研究領域主要是國際關係、美國外交政策，比較外交政策（以亞洲為主），以及比較政治（以中國為主）。[1]吳教授和他的中學學長蕭若元先生，進行了一場關於普世價值的辯論。[2]蕭先生、我，以及許多香港人都堅信我們需要捍衛自由，因為這被認為是我們的普世價值。然而，吳教授並不認同這一觀點。他認為普世價值應該是全人類都追求的價值，但自由並非如此，因為有些人或社會不崇尚自由，甚至願意放棄自由。例如，許多中國大陸的人常說：「香港之所以混亂，是因為香港人太過自由！」他又舉例，一旦你結婚，可能會出於尊重配偶或顧慮夫妻關係的考慮，自然放棄部分自由。我個人結婚後，不會單獨與異性共進晚餐，即使有異性在場，也會確保有其他人同席。當我在大學任教時，如果有女性學生來辦公室諮詢，我也會保持門敞開。這些都是為了避免引起不必要的嫌疑。相比之下，科學和人道被所有人所追求，因此他們可以被認為是普世價值。陶先生，你能否從哲學的角度來探討自由，並評估其是否屬於普世價值？

**陶**　我認同自由亦可視為普世價值的一種，然而，自由這個詞彙的含義卻可能因人而異，顯現出一種歧義。這種歧義體現在，儘管人們使用相同的詞彙「自由」，但他們對其理解和定義卻有所不同。例如，你提到在餐廳中自由選擇菜品的情況，這在一個層面上確實是自由的表現。然而，如果深入探討，我們會發現這種選擇實際上受到了諸如個人口味、經濟能力等因素的制約。因此，即使我們覺得自己在進行自由選擇，但實際上卻在不知不覺中受到外在條件的限制。

另外，我們之前提到的婚姻中的自由也是一個深思熟慮的議題。在婚姻關係中，我們會更加謹慎地避免與異性過度接觸。這種行為並不是放棄自由，而是出於一種犧牲，以避免激發伴侶的不悅或造成關係危機。這種為愛做出的犧牲，其實是一種對伴侶的保護與愛的表現，就如同母親為了孩子的付出一樣，都是愛的深層體現。

這些例子揭示了自由的多元性與複雜性。在不同的情境下，自由的涵義與實踐方式可能有所不同。因此，我們需要更深度地探討與理解自由的本質，並認識到自由可以在各種價值觀和行為中得到體現。

至於自由是不是普世價值呢？其實這個涉及到我們對自由的深層分析。一方面我們英語指的 Liberty（自由）是政治上的自由。簡而言之是基於每個人是一個個體，而每一個個體是有他的尊嚴、平等性以及才能發展的機遇。一個多元的社會有一好處就是我們會百花齊放，例如可以有很多不同的人才、專家、學者。更重要的是每個個體的個性得以充分發揮，而不是如在專制社會要做某些工作、受壓抑。所以美國的獨立宣言開宗就提到 pursuit of happiness（追求幸福），就是說每個人都有權利追求自己的幸福。[3] 追求幸福這件事情本身就是你追求自由的嚮導。所以這麼說來，我覺得自由應該也是普世價值。

**趙**　你提出的觀點從效益的角度來談自由的問題，但我們可以更深入一步，探討自由的本質是否值得受到尊重。從古至今，社會中總是存在著剝削者，他們試圖剝奪個體的自由。政府、教會以及其他暴力團體都嘗試限制人民的自由。然而，我們需要思考的是，如果自由的本質是值得受到尊重的，每個人都應該擁有自由，那麼這些限制實際上就是一種剝削。

這個觀點提醒我們反思權力與自由之間的關係。權力機構可能以各種形式對自由施加限制，以維持其自身的統治和控制。然而，自由作為一種基本的人權，應該被視為不可侵犯的價值。每個人都應該有自主選擇、表達意見和追求個人發展的權利，而不受到不合理的限制和剝奪。

我們需要對自由的價值進行深入思考，並意識到自由的本質超越了單純的效益考量。它是一種基本的人權，應該受到尊重和保護。只有在擁有自由的基礎上，個體才能實現其真正的潛能和幸福，社會才能實現公正、和諧的發展。因此，我們應該堅守對自由的信念，並努力反對和抵制任何剝奪自由的行為和結構。

**陶**　這裡的意思就是一些專制者剝削其他人，然我們需留意這裡涉及到專制者的價值判斷。他可能會認為自己是特別重要、聰明，甚至我為國民籌謀最好的生活。這件事情本身是犯駁的！第一，人類在下圍棋時多半會輸給電腦，[4]表示說人的智力一方面既有特長，亦有所限。這些例子俯拾皆是，如一個數學天才未必長於經濟或政治，一個精於打理家裡大小事務的女士可能不熟悉商場運作，這是我們人的才性限制。你只要承認每個人的才分有差異性，並且不能夠用自己的角度限制他人。你要保持開放，悟懂「人盡其才、各任其能」這個一般政治及生活的常識。一個專制者覺得他的想法一定是對的，這本身就是一種自我的迷執。我們下一步可以討論這個問題。

**趙**　但是自由的本質是甚麼呢？你可以回答一下嗎？

**陶**　就自由的本質而言，我們普通的選擇不算是很深層的自由。因為我們從生物演化來講有一個自私的基因，使得我們為自己的生存延續尋找安全感，所以選擇往往是基於最大安全感的考慮。這可以解釋「藍絲」的一種思維方式就是「維穩至上」。於是他基於這個方式思考所有問題時，看到任何的衝突云云就會反感。這種的自由我想是叫作一般的 Choice（選擇）。但對自由更複雜的討論中，一個是政治的自由，即上述的 Liberty。

另一種自由是哲學上所說的「主體自由」，好像莊子說的「逍遙無待」是一種自由，佛教所說的生命中去除執著又是一種自由。[6] 更加重要的就是像比較儒家一點的方式說「無入而不自得」[7] 下任何處境「造次必於是，顛沛必於是」，這種似乎就是一種更高的自由。[8] 這種自由如果細緻分析下去，其實就是所謂道德式的自由。道德的自由跟政治所說的人權自由、言論自由等等又有某一種內在價值，值得專門分析。就是說政治的自由就是大家共同生活裡面需要有一些秩序，而因為每個人的才能差異，我們需要有一個多元性的社會讓每個人發揮所能。這就是其中一個自由社會或者開放社會裡面的好處。

**趙**　那些支持現有政權的人常常以「自由有界限」為口號，這種說法實際上相當模糊。在政治自由方面，我們當然不是可以任意行動的，例如我們不能拿著槍上街。這是因為如果每個人都可以這樣做，社會必然陷入混亂。因此，經過多年的演化，人類發現如果每個人都願意放棄一部分自由，將其交由集中管理，我們的社會可以保持平衡。這就是法治的原則。

然而，關鍵問題在於我們交出自由時必須是自願的，這是一種契約關係。然而，這些所謂的「藍絲」往往忽略了這種契約關係。他們認為人民應該盲從政府、特首或主席的指示。他們忽略了這些統治者的權力是由人民賦予的，如果他們無法履行並保護人民的自由，人民應該用不同的方式來懲罰他們。這一點被吳教授以及許多博學的「藍絲」所忽略。然而，我覺得他們忽略這一點反而是合理的。我們所談論的是「天賦人權」，這些觀點在他們看來可能偏向於「唯心論」的立場。

因此，我們應該清楚地理解自由的本質和價值，並保護人民的自由不受侵犯。這需要我們堅守契約關係，確保統治者履行其責任，並用合理的方式維護自由和公義。我們不能被束縛在模糊的「自由有界限」口號下，而應該追求真正的自由，並反對任何剝奪人民自由的行為。因為在馬克思主義或者唯物辯證裡認為權力就是一切，[9]所以毛澤東才說「槍桿子裡面出政權」。[10]黑格爾也說所有這些自由的觀念都是歷史發展出來的，即其實是從「正反合」的鬥爭衝突中演化而成，所以這就是蕭先生和吳教授之間其中一個根本性的差異。

**陶** 我記得吳教授曾提到一句話，他說：「每個人的理性都不同，一百萬人的理性有一百萬個不同，而且我們有一種利益的衝突。」基於這個觀點，他得出了一個有趣的結論，那就是我們需要法律。吳教授認為法律是普世價值，它的存在是為了裁定秩序，否則社會就會陷入混亂。這種觀點在「藍絲」和效益主義思維中非常典型。

吳教授的前提是每個人的理性和良知都是不同的，這就很容易產生利益衝突，進而導致社會的紛亂。因此，他認為「止暴制亂」的最重要法則就是法律的執行，因為法律是客觀存在的，它提供了一個公平的裁斷標準，使我們能夠判斷對錯。這樣，在社會運作的過程中，我們能夠獲得一種公平的秩序。

這種觀點強調了法治的重要性，它為社會提供了一個穩定的框架，使人們能夠在不同利益之間找到平衡點。然而，我們也應該注意到，法律並非萬能，它無法解決所有的問題和衝突。有時候，我們還需要更深入的價值觀對話和公民參與，以實現更全面的社會公平和正義。因此，在討論法律和秩序時，我們應該不斷思考和反省，並尋求更有效的方式來建立一個更公正與和諧的社會。

這個思考其實甚為古怪。其一，每個人的理性是否都不同？如果真的這樣，我們還會不會如此合群，或者彼此溝通、尊重呢？它和才能不同，對於才能我們是彼此尊重，例如你畫畫、我聽音樂，各有各的表現。然則理性這種東西，舉一個簡單的例子，就是說我們不會說有德國數學、美國數學及中國數學的分別，因為它本身是理性推演的一種模式。談到科學，我們也不會說有德國物理學、英國物理學，皆因物理學是普世的，它是共同理性推演出來的東西。相反而言，有些東西是有它的價值差異的，如中國人有孝道觀、[11]美國人有對個體自由的要求，[12]或者是英國人在一二一五年《大憲章》立法之後，他們衍生了一些新政治觀念。[13]因此，我估計吳教授在這裡的邏輯思維出現混亂。我們經驗世界裡面一些社會規範是由於長期歷史發展而成，就像中國有纏足的傳統，而英國可能從來沒有這個經驗，所以沒有爭取或不爭取的問題。

**趙**　簡單來說，吳教授混淆了社會規範、良知和理性的概念。社會規範是基於經驗而形成的，它們是社會共識的產物。然而，良知和理性並不完全依賴於經驗，它們更多地與個人的固有本性相關。

社會規範是在人類社會中建立起來的準則和行為規範，通常是經過長期共識和經驗累積而形成的。它們有助於維持社會秩序和個人間的和諧關係。然而，這些規範並非普遍適用於所有人和所有情況，因為不同的文化和價值觀會對其有所差異。

良知和理性則是人類內在的能力，與道德判斷和思考能力相關。良知是指個人對於善惡、正義與否的直覺感知，它是人類天生具備的道德意識。而理性則是指個人運用邏輯和分析能力進行思考、推理和判斷的能力。

良知和理性是與生俱來的，它們不完全依賴於社會規範和經驗，而是受到個人天性和教育背景的影響。它們是人類思想和行為的基礎，對於個人的道德選擇和價值觀的形成具有重要作用。

因此，我們應該清楚區分社會規範以及個人的良知和理性。社會規範是相對靈活且可變的，而良知和理性則是個人的固有能力，它們在塑造我們的價值觀和行為方面發揮著重要的作用。在思考和討論時，我們應該避免將這些概念混淆，以確保我們能夠正確理解個人道德判斷和社會倫理規範之間的關係。

**陶**　待會我們會論證先天這一點。在討論社會規範的形成和發展時，我們也需要考慮到其與特定社會條件和文化背景之間的關係。社會規範往往是隨著社會的發展而演變的，並受到當地環境和文化的影響。舉例來說，居住在海邊、山區或從事畜牧業的人們，會因應當地環境的需要而產生相應的風俗和規矩。這些規範有助於維護社會的穩定性和協調性。

然而，這些規範的形成往往是偶然的，並且因特定的地理、經濟和文化背景而有所不同。

例如，對於蒙古人來說，騎馬有著重要的生活和文化意義，因此他們會有特定的騎馬規矩。然而，對於漢族人來說，由於他們鮮少騎馬，相應的規範就沒有那麼重要。

這突顯了社會規範的相對性和隨機性。不同的社會和文化背景下，人們對於規範的理解和遵守也會有所差異。因此，我們需要根據具體的社會情境和文化脈絡，來評估和理解相應的社會規範。這也提醒我們在討論社會規範時，要注意其相對性和地域特定性，以免將特定文化的規範強加於其他文化或社會上，造成誤解和衝突。

**趙**　蒙古人作為遊牧民族，其社會結構和文化習俗與漢族、香港等地區有所不同。例如，蒙古男性常常需要離開家族，參與戰爭和打仗，這導致了他們在社會規範上具有特殊的傳統。

在蒙古文化中，一項傳統是當有客人來到蒙古人的帳幕時，他們可能會邀請自己的妻子甚至女兒與客人共度一夜，[14] 這被視為一種待客之道，並且有助於提高生育率和戰鬥力。然而，這樣的習俗是基於蒙古社會的特殊需求和價值觀，並不具有普遍性。

將這種社會規範直接套用到漢族或香港等地區是不合適的，因為不同的文化和社會背景下，人們對於個人隱私和家庭關係有著不同的價值觀。在漢族和香港社會中，保護個人隱私和尊重家庭關係是重要的社會價值，不容忽視。

這突顯了社會規範的相對性和文化差異。每個社會和文化都有其特定的價值體系和行為準則，並且這些規範的形成和適用是基於特定的社會需求和價值觀。因此，我們應該尊重不同文化間的差異，並避免將特定文化的規範強加於其他文化上，以免產生誤解和衝突。

**陶**　它有因時制宜的效果，就是說能夠成為一個社會規範，往往都會有它的社會實用價值的。

**趙**　正如哈佛大學的帕森斯（Parsons）所講的，其實這是一種功能主義。[15] 例如，在蒙古社會中，人丁和戰鬥力對於遊牧民族的生存和維護部族的安全至關重要。因此，他們的社會規範中可能存在讓妻子或女兒與客人共度一夜的習俗，以提高人丁和士兵的數量。這樣的規範在蒙古社會中具有一定的功能性和價值。

相比之下，漢族社會注重農業生產和農田之間的合作。在漢族社會中，人們可能更注重建立合作關係，並通過互贈禮物的方式加強社會連結。這種規範也具有功能性，因為它促進了農業生產的順利進行和社會的和諧發展。

這些不同的社會規範反映了特定文化和社會的需求，並具有其各自的功能和價值。帕森斯的功能主義觀點指出，社會規範和行為模式的形成是為了達到特定的社會功能和目標。不同文化背景下的社會規範彼此之間可能存在差異，這並不意味著其中一種規範優於另一種，而是反映了不同社會的需求和價值體系。

因此，我們應該以開放的態度看待不同文化間的規範和價值觀，並尊重它們的功能性和獨特性。這有助於促進跨文化的理解和尊重，並避免價值觀衝突和文化歧視。

**陶**　所以我們初步可以得出這樣的結論：在社會中，人們之間的利益衝突是不可避免的，因此我們需要依靠法治來處理這些衝突。法治的概念並非一蹴而就，它經歷了很長的演變過程。舉例來說，我們可以回顧《大憲章》的制定過程，該憲章限制了國王向貴族徵收任意稅款等行為。起初，這些限制可能是貴族為了保護自身利益而提出的自私舉措。然而，隨著時間的推移，這些限制成為了現代法治精神的一部分。

需要注意的是，法治精神和先前提到的理性和良知是不同層面的概念，我們可以在之後進一步探討它們的關係和意義。法治的出現為社會提供了一個公正、公平的規則框架，使得人們可以依法維護自身權益，解決利益衝突，並確保社會秩序的穩定。

藉著法治的力量，我們可以實現法律的平等和普遍適用，減少人為的主觀干預，並確保公共利益的最大化。同時，法治還可以提供一個可靠的制度來解決糾紛、保障人權，以及維護社會的和諧和穩定。因此，法治的價值和重要性在當代社會中不可忽視。

需要強調的是，法治不僅僅是一個制度，更是一種價值觀和社會文化的體現。法治需要得到廣泛的支持和遵守，並與個人的理性和良知相結合，才能真正發揮其積極的作用，促進社會的進步和公正。當然法治精神與剛才所講的理性良知是屬於另外一個層面的，這可之後再談。

1 吳錦宇教授（Prof. Michael Ng-Quinn）於一九七三年學士畢業於芝加哥大學，後於一九七八年在美國哈佛大學（Harvard University）獲得政治學博士學位。吳氏現為雷德蘭茲大學（University of Redlands）政治學教授，而先前曾任教於塔夫茨大學（Tufts University）的佛萊契法律與外交學院（Fletcher School of Law and Diplomacy）以及其他大學。吳教授研究領域主要是國際關係、美國外交政策、比較外交政策（亞洲為主），以及比較政治（中國為主）。有關履歷見其大學的個人網頁：https://dev2w.redlands.edu/study/schools-and-centers/college-of-arts-and-sciences/undergraduate-studies/political-science/meet-our-faculty/michael-ng-quinn/（擷取日期：二〇二一年二月十六日）。

2 蕭氏於 YouTube 辯論片段開場及置頂留言介紹兩人同就讀於聖保羅書院，而吳教授為其學弟，及後於一九六九年往美國升學。辯論片段及有關吳教授的介紹見〈我與我的藍絲學弟辯論—反送中運動〉，YouTube 頻道《謎米香港（memehongkong）》(https://www.youtube.com/@memehongkong)，二〇二〇年一月十三日（擷取日期：二〇二一年二月十五日）。

3 《美國獨立宣言》寫道 "We hold these truths to be self-evident, that all men are created equal, that they are endowed by their Creator with certain unalienable Rights, that among these are Life, Liberty and the pursuit of Happiness.", 全文見 "Declaration of Independence: A Transcription," National Archives(https://www.archives.gov/), accessed February 17, 2021.

4 人工智慧 AlphaGo 曾擊敗中國世界圍棋冠軍柯潔，見〈AlphaGo 擊敗中國世界圍棋冠軍柯潔〉，《BBC News 中文》，二〇一七年五月二十五日（擷取日期：二〇二一年二月十七日）。

5 見《莊子．內篇．逍遙遊》。

6 佛家認為「取」為十二因緣之一，會產生執著，繼而有煩惱。人必須放下執著才能解脫，以進入涅槃。

7 出自《中庸．十四》：「君子素其位而行，不願乎其外。素富貴，行乎富貴；素貧賤，行乎貧賤；素夷狄，行乎夷狄；素患難，行乎患難。君子無入而不自得焉。」

8 《論語．里仁》：「子曰：『富與貴是人之所欲也，不以其道得之，不處也；貧與賤是人之所惡也，不以其道得之，不去也。君子去仁，惡乎成名？君子無終食之間違仁，造次必於是，顛沛必於是。』」

9 馬克思認為下層的經濟活動決定上層建築，而社會從來是處於階級鬥爭的，故擁有權力至為重要，反之法律、道德等只是工具。讀者如有興趣，可參閱 Marx, Karl. *Capital: A Critique of Political Economy (Volume I Book One: The Process of Production of Capital)*. Moscow: Progress Publishers, 1887. https://www.marxists.org/archive/marx/works/1867-c1/。

10 毛澤東曾言：「每個共產黨員都應懂得這個真理：槍桿子裡面出政權。」見毛澤東：〈戰爭和戰略問題（一九三八年十一月六日）〉，載氏著：《毛澤東選集：第二卷》（北京：人民出版社，一九六五年），頁五三五。

11 中國人素有重視孝悌的精神，如《孝經．開宗明義》子曰：「夫孝，德之本也，教之所由生也。復坐，吾語汝。身體髮膚，受之父母，不敢毀傷，孝之始也。立身行道，揚名於後世，以顯父母，孝之終也。夫孝，始於事親，中於事君，終於立身。」《大雅》云：「無念爾祖，聿脩厥德。」

12 美國人的個體自由是建基於《獨立宣言》，見"Declaration of Independence: A Transcription"。

13 英國《大憲章》（Magna Carta）為當時貴族階級逼使英格蘭國王約翰王（John, King of England）簽訂的拉丁文政治性授權文件，用以限制國王的絕對權力。目前一二九七年的英文版本至今仍然是英格蘭、威爾斯之有效法律，被譽為現今憲法的始祖、基石。有關全文見"English translation of Magna Carta," British Library(https://www.bl.uk/), accessed February 17, 2021.

14 指進行性行為。

15 托卡．帕森斯（Talcott Parsons，1902-1979）為美國哈佛大學著名的社會學大師，其重整了當代社會學理論及對結構功能主義（Functionalism）的研究影響全球。

# 墨子：
# 「一人一義，十人十義」，
# 人的良知是否皆有差異？

**趙**　最近城中有兩場討論都涉及良知，分別是蕭若元和其學弟吳錦宇教授，[1]以及黃秋生和何君堯。[2]在何、黃二人的討論中，黃提出其對良知的看法和何的有顯著分別。吳教授亦稱眾人對良知均有不同看法，故良知作為普世價值並不合理，皆因它並非每個人都追求。另外，大家的良知影響他們對自由的定義，譬如有人遭剝削自由，有人就會同情他並覺得他很悲慘，另一些人則不然。到底良知是不是好像墨子所說「一人一義，十人十義」？[3]這是一個相當複雜的問題。

**陶**　或者我們試試從語理分析的角度出發。有關良知的概念出於《孟子．盡心上》：「孟子曰：『人之所不學而能者，其良能也；所不慮而知者，其良知也。孩提之童，無不知愛其親者；及其長也，無不知敬其兄也。親親，仁也；敬長，義也。無他，達之天下也。』」孟子此處把良知和良能兩者連在一起。良是好的意思，能夠有一種向好方面出發或做好事的能力。良知為分辨好與壞的能力。由此可見孟子是先天主義者，「仁義禮智，非由外鑠我也，我固有之也。」就是認為人皆有良知，沒有良知、是非之心、惻隱之心等則非人也。[4]這個論點不是很多人信服，因為從經驗上我們的確看到每個人的價值判斷或廣義的所謂道德判斷會有所分別。[5]

**趙** 對於上述的性善論孟子也有補充。他就說人本身有良知，但是雖「牛山之美」，然「旦旦而伐之」。

**陶** 此處指牛山本擁有大片樹木是很美的，但是樵夫不斷砍伐樹木至殆盡，令牛山變得很醜陋。後來人們到了牛山覺得奇怪，然後問：「為甚麼牛山光禿禿的呢？」孟子就說：「以前牛山很多木，只不過是不斷砍伐同時又沒有再栽培，所以變成這種後果。」成語「牛山濯濯」亦出於此。[6]這其實不算是一個嚴謹論證，只不過是設定了每個人都有良知，現在這不明顯就是因為你旦旦伐之不斷消耗，且不去修養環境，猶如你的社會經驗將自己的樹都砍掉了而出現此結果。及至明代，思想家王陽明參考孟子的良知觀並予以更深度的探討。[7]孟子云四端之心是代表著人性裡較高層次的體現，如惻隱之心是人看到孺子入井的時候會設法救他、羞惡之心是自己做了不對的事情會羞惡、辭讓之心為我們會扶幼敬老幫助弱勢、是非之心就是辨別原則性問題的能力。[8]王陽明說孟子用四端之心去講述人的表現。（編者案：王陽明的良知其實同時包含了孟子論四端的惻隱之心、羞惡之心、恭敬之心、是非之心。牟宗三指出：「孟子所並列說的四端之心一起皆收於良知，因而亦只是一個良知之心。因此等同良知。」）[9]

王陽明有一個很有名的說法就叫作「知行合一」，一般人誤以為這是知道一件事情就會行動，或者在行動方面讓你更加知道，故有先知後行說或先行後知說。這絕對不是王氏的意思。[10] 王氏認為知和行有一種內在關聯，兩者密不可分。他說「知之真切篤實處即是行」，「真切」就是說對一件事關懷備至並有所感觸，「篤實」的意思就是事情有一種投入感。符合這兩個程度的話便是「行」，否則你抱著「各家自掃門前雪，不理他人瓦上霜」的無道德參與心理，就不是真的「知」。「行」是甚麼呢？「行之明覺精察處即是知」。「明覺」的意思就是對光明的覺悟，就是說你的內心裡面放下很多私慾及個人的利益考慮。「精察」代表著精明地分辨對錯的實踐能力。[11] 孔子於《論語．憲問》說：「不逆詐，不億不信。抑亦先覺者，是賢乎！」「不逆詐」講述你不是任何事都從陰謀論出發、「不億」就是不要臆測別人、「不信」即不要盲信別人、「抑亦先覺者」謂假如有人在欺騙你，你從內在的生活體驗中先知先覺，知道這個人是壞心腸的。如果你能夠體會到別人的壞處幽暗，並且有一個自身的道德力量要將這些東西拔除，那就表現出你精察之處！

由此觀之，良知絕非相對的。人出生的時候我們都是比較和善，喜歡跟別人玩。可是我們在成長經歷裡面有時候會被人壓迫、欺騙，甚至毆打，從而在心裡播下仇恨的種子。當我們進入爾虞我詐的成人社會中，就更覺得人性其實是卑污、社會沒有信任、世界是黑暗等。用儒家的說法就是你在修行的過程裡面明白自己成長的過程，孔子在《論語．子罕》中說的：「子絕四：毋意，毋必，毋固，毋我。」正是修行的起點：不主觀臆斷，不絕對肯定，不固執己見，不唯我獨尊。道家、佛家都一樣提出要放下自我，意味自己要先明白生命歷程中總會有所缺陷，但是我們自己有一種道德力量驅使以建立一個更加健全的人格。無論任何年齡，當你對自己有這種要求和體會的時候，你就會對我們一般的價值取向有較開放的新看法，如改變犬儒的個性去為不公義的事情發聲、對世界上不幸的人予以憐憫，乃至愧疚並修改自己以往的錯失。最終你會達致不斷的自我轉化，甚至成聖、成賢、成佛、成菩薩。一言以蔽之，這種新的境界放諸現代就是放開自私、利益而走向自由，乃至對世間萬物都給予關心，即「擴而充之，足以保四海。不擴而充之，不足以事父母」，[12]讓你成為有才能、有道德感的「自由人」。

我們需要留意，上述所言的自由是道德上的自由，而推廣的話是「內聖外王」[13]、「知行合一」的。如我們知道中國仍然存在很多社會上不公義之事的話，會有所反省，然後發聲或有所行動。吳教授說每個人有不同的道德、良知、理性的看法是從我們每個人的性情取向或沒經過高度自覺反省的價值判斷而定。我們發覺越是沒有經過自覺反省的人，價值判斷的差異越大，反之則趨向等同。歷史上德蘭修女、甘地等提出人與人之間要有愛、要互相尊重等觀念得到世界上絕大多數人的認同，正是大家放下一部分個人私慾，經歷修養的工夫後形成的最大公約數。[14]蕭若元先生常常推崇批判性思考的原因不是純粹邏輯上思辨，而是代表一個人怎麼提升自己的一種要求。無人可以強迫你的。一般人所說的自由往往是選擇的自由或個人自認為的自由，而道德自由是「普世價值」或者政治學所云「民主、自由」的一個基礎。

**趙**　你先前提到的自由，實質上被理解為一種道德的自由，一種對個體內在價值與尊嚴的認同與尊重。然而，我感到有必要探問一個現實問題：在我們今日所處的社會中，眾多人是否實際上缺少了這種道德自由，因為被社會規範、制度框架或者其他外在因素所限制？若是這樣，那麼這種普遍的道德自由缺失，是否會對其普世價值的形成與確立產生影響，甚至成為其普世化進程的阻礙呢？

**陶**　這是一個相當複雜的問題，我們可以從哲學的角度探討道德良知的先驗性或先天性。道德良知與社會規範之間存在著重要的差異。例如，我們可以從幼兒園開始學習算術，從而理解「1+1=2」和「2+2=4」。這種算術能力是在後天學習和培養的基礎上發展起來的。[15]拉丁字詞「a priori」正正表達上述情況是由後天獲取知識前的邏輯觀念而來。這些潛能一般是眾人皆有，即使某人思想很混亂，如你能與他溝通明白，其實也表示他是有邏輯的。如果他講話一直重複含混，或者是前言不對後語，那麼我們盡可能不要跟他討論太多了。畢竟他本身的邏輯抽象能力太低，甚或乎有智力障礙。有些人由於過度唯我獨尊，他往往不會在推論上尋找新猷。簡而言之，我們的計算能力不可以後天學習，必須本身要有一種潛能，如你不可以教一隻貓去算抽象的數。賞美品味能力都有高低之分。有些人內在有某種先驗能力，是一位天才。如此類推，我們的道德判斷也是一樣，例如我們知道甚麼叫作對錯。如果你是沒有經過修養的人，對錯往往是很直觀的，處於「以牙還牙、以眼還眼」的階段。可你修養到一個階段後，發覺對方原來是無意踩到你的，你就會原諒對方。到了更高的層次，就是即使他是有意踩你一腳，你會為這個人感到可憐而原諒他。[16] 這樣層層的升進就是你的自我轉化。中國人所講的成聖成賢，並不是說某人要成為偉大光明的神聖人物，而是某人的包容度越來越大，直到能夠「無入而不自得」的境界。（編者案：這裡以「原諒」與「包容」解釋自我轉化與成聖成賢，但這裡說的是「中國人所講的成聖成賢」，未必直接有這些觀念，且上文一直討論的是孟子與王陽明理論，宜以之為準。如陽明說：「雖凡人而肯為學，使此心純乎天理，則亦可為聖人；猶一兩之金比之萬鎰，分兩雖懸絕，而其到足色處可以無愧，故曰：『人皆可以為堯、舜』者以此。學者學聖人，不過是去人欲而存天理耳，猶煉金而求其足色。」自我轉化與成聖成賢，無非都是去人欲而存天理，這也與上文放下自我、去除自私的論述一致。）

**趙**　我堅信追求自由是我們的先天能力。從盤古開天地以來，人類的自由追求一直在歷史的演進中呈現，如同黑格爾所言「歷史的發展使然」。從古代的奴隸社會、帝國、宗教團體，到現今的專制國家，他們都不斷地壓迫與剝奪個人的自由。然而，有些人從出生便被灌輸一種觀念，那就是追求自由是不好的。因此，他們逐漸喪失了追求自由的能力，甚至忘記了追求自由的價值和重要性。

我認為，自由並不完全是靠教育來獲取的。即便在與世隔絕的荒島上出生的人，他也會期望追求生活中各個面向的自由。因此，自由更多是人類的天性，並不徹底受教育、環境或社會制度的影響。

**陶**　有一種自由是源於生物性的，例如小狗不想被綁住，因為牠被綁住的話，求生機率變低了。甚至有一個很有趣的例子：我們坐巴士都很喜歡坐在靠窗的位置，有些解釋說是因為容易逃生或會有較好的視野及預判能力，就像動物一樣不想被禁錮。但儒家講的「無入而不自得」，或者在任何情況都能應運自如，是指你內心裡的牽連越來越少。你不會為了自己的利益、名聲、受污衊而忐忑不安。當你越少介懷外在衝擊時，自由度就越大。這很明顯是一種道德修養。反過來你有了這種修養，就總會對人類有一種宗教性的博愛關懷。我們看到在封建社會或者是王權專制的時候有很多的不幸，而人的生命就像螻蟻一般。這時候我們發覺人類就會開始出現思想家，如孔子曰「仁」、釋迦牟尼[17]言「慈悲」、或者耶穌[18]說「博愛」等去體現人性的光輝。[19]我們要承認人若未反求諸己，即使我們進入現代文明世界，其實也不自由。我們仍受自私的本能、貪婪影響，尤其在科技的演變中逐漸迷失。另一方面，人即使面對任何處境，我們仍能夠調適到最大公約數作為大家的價值，以道德理性及修養去避免過猶不及的情況。

誠然，年輕人可能難以完全理解我們這個五、六十歲的階段所經歷的事情。我們經歷過許多挫折和錯誤，從中獲得了一些對自己的修養和體悟。我們對年輕人的忠告具有一定的歷史性和參考價值。然而，我們也要容納年輕人懷抱的熱情和他們所追求的「粉紅色的浪漫主義」。這些激情洋溢的主張可能有些超越現實，但每個人都需要通過犯錯和成長來學習。我們最希望的是社會給予年輕人修正錯誤的機會。這正是自由的可貴之處！

年輕人的熱血和理想主義對社會進步和創新至關重要。他們帶來了新的思維、觀點和創意，推動社會的變革和發展。雖然我們可能在經歷了更多人生閱歷後更加現實和謹慎，但我們也應該給予年輕人空間去追求自己的夢想和實現自己的理想。同時，我們要以我們的經驗和智慧作為他們的支持和指導，幫助他們在成長過程中避免一些可能的錯誤和困境。然每個人的成長是由錯誤中學習，我們最希望的是社會給予他們機會修正。

1 辯論片段及有關吳教授的介紹見〈我與我的藍絲學弟辯論——反送中運動〉，YouTube 頻道《謎米香港（memehongkong）》（https://www.youtube.com/@memehongkong），二〇二〇年一月十三日（擷取日期：二〇二一年二月十五日）。

2 黃秋生（1961-），又名安東尼．帕里（Anthony Perry），香港知名男演員，集「影帝」、「視帝」、「劇帝」於一身且於歌、影、視均曾奪獎。目前他已經移居臺灣生活。何君堯（1962-），香港立法會議員，激進建制派政治人物。黃秋生當日突然因個人原因未能來到香港電台節目《視點 31》直播現場，故兩人需隔空就當時香港的時事社會問題作出討論。當日討論位於節目後半部，題目「論良知、談正義」。片段見〈視點 31：臺灣大選對香港啟示；論良知、談正義〉，YouTube RTHK 香港電台頻道（https://www.youtube.com/@RTHK），二〇二〇年一月十四日（擷取日期：二〇二一年三月十八日）。

3 墨家是先秦諸子百家中的主要派別之一，約產生於戰國時期，創始人為墨翟（約 468-376 BC）。其學說從下層平民百姓出發，提倡「兼愛、非攻、尚賢」等思想。見張踐：〈墨翟與墨家思想〉，《中國文化研究院》（https://chiculture.org.hk/tc），二〇二〇年七月二日（擷取日期：二〇二一年二月二十七日）。趙氏這裡引《墨子．尚同上》的語句：「是以一人則一義，二人則二義，十人則十義，其人茲眾，其所謂義者亦茲眾。」

4 此段出自《孟子．公孫丑上》：「……由是觀之，無惻隱之心，非人也；無羞惡之心，非人也；無辭讓之心，非人也；無是非之心，非人也。……」

5 著名先秦思想家荀子（316-235 BC）提出「性惡論」，反對孟子的看法。

6 故事出自《孟子．告子上》，以下列出全文：「孟子曰：『牛山之木嘗美矣，以其郊於大國也，斧斤伐之，可以為美乎？是其日夜之所息，雨露之所潤，非無萌櫱之生焉，牛羊又從而牧之，是以若彼濯濯也。人見其濯濯也，以為未嘗有材焉，此豈山之性也哉？雖存乎人者，豈無仁義之心哉？其所以放其良心者，亦猶斧斤之於木也，旦旦而伐之，可以為美乎？其日夜之所息，平旦之氣，其好惡與人相近也者幾希，則其旦晝之所為，有梏亡之矣。梏之反覆，則其夜氣不足以存；夜氣不足以存，則其違禽獸不遠矣。人見其禽獸也，而以為未嘗有才焉者，是豈人之情也哉？故苟得其養，無物不長；苟失其養，無物不消。孔子曰：『操則存，舍則亡；出入無時，莫知其鄉。』惟心之謂與？』」

7 王守仁（1472-1529），幼名雲，字伯安，號陽明子，謚文成，後世稱王陽明。浙江紹興府餘姚縣（今浙江省寧波餘姚市）人，明代思想家、哲學家、書法家兼軍事家、教育家，官至南京兵部尚書、都察院左都御史，因平定宸濠之亂等軍功而封爵新建伯，隆慶時追贈侯爵。王守仁是陸王心學之集大成者，不但精通儒、釋、道三教，而且能統軍征戰。

8 《孟子．公孫丑上》：「……所以謂人皆有不忍人之心者，今人乍見孺子將入於井，皆有怵惕惻隱之心。非所以內交於孺子之父母也，非所以要譽於鄉黨朋友也，非惡其聲而然也。由是觀之：無惻隱之心，非人也；無羞惡之心，非人也；無辭讓之心，非人也；無是非之心，非人也。惻隱之心，仁之端也；羞惡之心，義之端也；辭讓之心，禮之端也；是非之心，智之端也。……」

9 王陽明於《傳習錄．中》言：「夫良知即是道，良知之在人心，不但聖賢，雖常人亦無不如此。若無有物慾牽蔽，但循著良知發用流行將去，即無不是道。」後於《傳習錄．下》說：「『良知只是個是非之心。是非只是個好惡。只好惡，就盡了是非。只是非，就盡了萬事萬變。』又曰：『是非兩字是個大規矩，巧處則存乎其人。』」牟宗三：《從陸象山到劉蕺山》，《牟宗三先生全集》第八冊（臺北：聯經出版公司，二〇〇三年），頁一七九。

10 一般人只引出王陽明在《傳習錄．上》的語句：「知是行的主意，行是知的功夫。知是行之始，行是知之成。若會得時，只說一個知，已自有行在；只說一個行，已自有知在。」未有從王氏整體的思想看。

11 這裡的全文為《傳習錄．中》說：「知之真切篤實處即是行，行之明覺精察處即是知，知、行工夫本不可離。只為後世學者分作兩截用功，失卻知、行本體，故有合一並進之說。」

12 《孟子．公孫丑上》論及四端後謂：「……人之有是四端也，猶其有四體也；有是四端而自謂不能者，自賊者也；謂其君不能者，賊其君者也。凡有四端於我者，知皆擴而充之矣，若火之始然，泉之始達。苟能充之，足以保四海；苟不充之，不足以事父母。」

13 「內聖外王」出自《莊子．天下篇》：「是故內聖外王之道，闇而不明，鬱而不發，天下之人各為其所欲焉，以自為方。」此指人是有一個所謂的道德良心，並可以展現於外。

14 莫罕達斯・卡拉姆昌德・甘地（Mohandas Karamchand Gandhi，1869-1948），尊稱聖雄甘地，印度國父，印度民族主義運動和國大黨領袖，他帶領印度獨立，脫離英國殖民地統治。他的非暴力哲學思想影響了全世界的民族主義者和那些爭取和平變革的國際運動；德蘭修女（Mother Teresa，1910-1997，臺譯：德蕾莎修女），天主教會稱之加爾各答聖德蘭修女（Saint Teresa of Calcutta）。她一生於印度服務弱勢社群，協助貧富大眾。一九七九年獲頒諾貝爾和平獎。

15 先驗／後驗的概念由啟蒙時代著名德意志哲學家、德國古典哲學創始人伊曼努爾・康德提出。其學說影響近代西方哲學，並開啟了德國唯心主義和康德義務主義等諸多流派。

16 陶氏引出中國文學理論家章海陵（1946-）對俄羅斯著名文學家、劇作家安東・帕夫洛維奇・契訶夫（Anton Pavlovich Chekhov，1860-1904）的評論。契訶夫童年生平坎坷，然他在其中悟出「可以寬恕，但絕不原諒」、「相信人類的進步」等道理。見章海陵：〈契訶夫傳奇的悲愴紀念碑〉，《愛思想》（http://www.aisixiang.com/），二〇一〇年十二月二十二日（擷取日期：二〇二一年三月十九日）。

17 釋迦牟尼（Gautama Buddha，c. 5th to 4th century BCE），姓喬達摩，名悉達多，古印度思想家、教育家、宗教改革家，佛教的創始人；稱號為釋迦牟尼佛、佛陀等。

18 耶穌（Jesus、Jesus of Nazareth 或 Jesus Christ，c. 4 BC–AD 30/33），是公元一世紀的猶太

傳教士和宗教領袖。他是世界上最大的宗教基督教的中心人物。大多數基督徒相信他是上帝之子的化身，也是舊約中所預言的等待著的彌賽亞（基督）。

19 德國哲學家卡爾・特奧多・雅斯佩斯（Karl Theodor Jaspers，1883-1969）在其書《歷史的起源與目標》（The Origin and Goal of History）提出「軸心時代」（Axial Age，德語：Achsenzeit）的觀點，謂公元前八世紀到前二世紀之間，世界不斷湧現具有革命性的思潮。見 Karl Jasper, The Origin and Goal of History (Abingdon; New York: Routledge, 2011). 以色列歷史學家哈拉瑞（Yuval Noah Harari）亦在其大作《人類大歷史》提出有關思想家及這些提倡的宗教湧現的狀況，見 Yuval Noah Harari, *Sapiens: A Brief History of Humankind* (London: Harvill Secker, 2014), 182-204.

# 為何他們相信假新聞：從「灰眼症」的角度看心理動機

**陶** 我想再回應一個問題：為甚麼某一些人選擇相信一些所謂的「假新聞」？[1] 我覺得這並非關乎智力及理性，而是情緒的問題，特別是我們有一些恐懼及仇恨。人的價值信念有個特點，就是要有相當的自我完善或統一。我們如果覺得自己是一個壞人，心理就會崩潰，繼而變成思覺失調，甚至出現幻覺。所以人有一個很奇怪的傾向，就是一定先假定自己是對的。反之我們覺得自己錯了，就要如天主教的懺悔一樣將這個錯誤抹掉，才能恢復完整。

如今，你會發覺我們在現實社會中談香港政治問題時左右為難，因為一說出來對方可能和你的顏色、價值信念不同而產生衝突，最後只有無盡爭辯及謾罵。我自己也經歷過一個很想不停地爭辯下去的情況，因為我自覺對方不明白自己的道理。我們一般討論問題時，會講一下道理是否一致或者有沒有事實證明。然目前很多人是用情緒而不是智力判斷事情，即使很多受高等教育的人亦出現這種選擇性思維。大家意識上選擇的畫面並不能夠表達一件客觀事件，反而是要用來證明他自己所謂對錯的一些先決條件。

**趙**　有關這議題我們轉移談談與之相關的網絡 KOL（意見領袖）現象吧！[2] 其實你聽現在一些 KOL 講話時，會發覺內容乏匱，但由於他們是在宣揚一些仇恨情緒，結果就引來海量的聽眾，這其實是很奇怪的現象。

**陶**　KOL 的類型可以從多個角度進行劃分。一部分 KOL 擁有堅定的政治理念，或對特定議題有深入的分析與表達，像趙博士你就是這樣的代表。這類 KOL 主要以論證為主，即使他們有自己的立場，也會盡可能找尋證據去支持自己的觀點，試圖將議題全面且深入地闡述。然而，另一部分 KOL 則傾向於發洩情緒，比如連篇累牘的說髒話。這類 KOL 的行為實際上反映了人在恐懼或壓力下會說髒話的心理。令人感到奇怪的是，許多人在聆聽這種 KOL 對「黃絲」或「藍絲」的指責時，似乎能得到一種同溫層的感覺，彷彿他們自己的情緒也得到了宣洩。

更為複雜的是第三類 KOL，他們的行為與自身的心態息息相關。其中一位非常有影響力的女性 KOL 在影片中表示，參與過生命熱線輔導後，她認為有自殺傾向的人是無藥可救的，這種語調讓我感到相當不安。另一影片中，她提到自己在大陸工作，對於香港人無端上街遊行鬧事、以及對大陸人的歧視，她感到不滿。我將這種思維稱為「灰眼症」，也就是看到的事物總是負面的。我相信這位 KOL 的思維和心態可能與其成長經歷有關。我對她的印象是，當她面對鏡頭時，總是帶著一種藐視的表情。似乎她知道有許多「黃絲」會觀看她的影片，因此她故意用這種方式來對待他們。另一方面，由於她得到許多「藍絲」的支持，她似乎享受這種強烈的反饋感。當然，這只是我的理解，可能並不完全準確。但令我更為擔憂的是，她的話語中充滿負能量，對事件的描述常常偏離事實、常識和邏輯。

**趙**　或者我先補充一下。因為我兩年前就開始看她的影片。她曾在法國留學，早期是在影片中教法文。同時她有一些試穿內衣的影片，故吸引一些男士去觀看。我留意到她其實一直以來的自身立場都是一致的。現在好像有很多人批評說她立場矛盾，其實我覺得是不矛盾的。她早期就是用了很多髒話去形容窮人是不應該生小孩的，如說這是非常犯賤的，而後來她也仇恨從內地來港的新移民、港男等很多事情。由於她向來以仇恨看世界，現在社會的議題轉變後，她就仇恨現在香港的抗爭者。一旦香港抗爭平息了，她就會再找一個新的對象去仇恨。這一種就是很符合你剛剛所解釋的「灰眼症」去看世界，而這在現今的社會是有市場的。

放眼現今社會，我們其實沒有一個生存困難的問題。當社會富裕，人們就會變得空虛，就如殷海光經常講你人生的意義沒有了價值。[3]以前的人會覺得我的人生意義就是成功養育兒子，因他們覺得這行為已經很困難了。到了現今這麼富裕的社會，你沒有了這種很掙扎求存的情況而變得不知所措。當你沒有了一個正面價值導向時，你就要轉向抱持一個負面價值，使自己的存在感在生命裡面變得「充實」。所以就透過仇恨窮人、新移民、港男，還說港男的素質有多低，現在就擴大變成了仇恨「黃絲」。其實這裡是一致性的心靈虛空的現象所導致的。

**陶**　如果從思想方法或者是批判思考的角度，這種思維是將論題過度擴大。港男、港女均有一部分是舉止差的，這是一定對的。然而，你將它推到一個煽動式的就是所有港男都沒有出息、所有憤青都是廢青。這樣的全稱命題說出來是很煽情以及很自我滿足的，就等於抱持馬克思主義的人煽動年輕人時喜歡用全稱命題說話，如所有階級的人、所有資本家、所有的貧下中農都是怎樣怎樣的。[4]這個所有是包括你在內，於是你對號入座就會找到一個位置。所以為甚麼很多理論那麼吸引人，並不是因為它道理很豐富或者是很有條理，其實就是因為可以煽動人的情感。

馬克思在其著名的《共產黨宣言》中開宗明義地說：「一個幽靈，共產主義的幽靈，在歐洲遊蕩。為了對這個幽靈進行神聖的圍剿，舊歐洲的一切勢力，教皇和沙皇、梅特涅和基佐、法國的激進派和德國的警察，都聯合起來了。」馬克思選擇用「幽靈」來形容共產主義，這是一種強烈的象徵和隱喻，用來展現共產主義在當時歐洲社會的無形影響力，以及它對舊有秩序的顛覆性挑戰。[5]他用幽靈這種圖像形容共產主義，然後對這個時代做一個判斷。若你是有興致於社會改革，則突然如宗教一般受到感召。

這個描繪並非僅僅是一個直觀的形象，它更深層地揭示了當時社會的現狀與動態。在馬克思的筆下，共產主義如同一種強大且不可遏止的力量，雖然無形卻無處不在，威脅著現有的社會秩序。因此，那些持有權力、既得利益的階級和集團，無論是宗教領袖、皇帝、政治家還是警察，都感到了威脅，紛紛聯手對抗這個「幽靈」。

如果你對社會改革有深厚的興趣，這種描述可能會讓你深受震撼，甚至產生一種宗教般的啟示和感召。你可能會感受到馬克思的激進思想和其對改變世界的強烈期待，並由此受到鼓舞，去思考和追求更加公正和平等的社會。

**趙** 這勾起了我看希特拉《我的奮鬥》的心得，[6] 該書是他的自傳，並在一九二三年的慕尼黑「啤酒館」暴動失敗後開始創作，那時他因為叛國罪被投入獄中。在獄中，他開始撰寫這本書。

該書於一九二五年在德國出版。希特拉在書中糅合了他的納粹主義和反猶太主義思想，這些都在他後來的執政期間被實現，一九三〇年代，希特拉在納粹黨於國會大選勝利後出任總理，上台後便撕毀凡爾賽合約，重整武力軍備，以激起德國人之潛在的復仇心理。希特拉率領的納粹獨裁政府，使德國煥然一新，大有吞霸整個世界的勢力。[7]當他在十年後再度掌握權力時，這本書便成了納粹政權的主要宣傳工具，全書總計出版了一千二百萬冊；國家甚至會在每對新人結婚後，贈送他們這本書，金箔版本則會被擺放在高級官員家中的醒目位置。

儘管《我的奮鬥》的內容缺乏邏輯結構，純粹揭示了他的種族主義和反猶太的立場。但實際上，希特拉的說辭，該女性 KOL 的言論，甚至是現今香港社會中許多極端保守或極端激進的人士的觀點，都源於對某種事物的極度仇恨。這種仇恨視線忽略了世界的複雜性和多元性。

那麼，你能否談談另一位你關注的男性 KOL？我還未有機會觀看他的影片。

**陶**　我只是看了一兩段該男 KOL 的影片，因為我覺得他的論述和該女 KOL 的形態不同。

他的論述裡面就是要罵人，同時道理的那方面小題大作，就是說「黃絲」、民主黨的議員等等都是為了得到選票，然後加一點髒話等等。我相信這類的形態只不過是因時而起的一種模式，就像「打小人」一樣透過幫你罵人、發洩及將問題不斷重複。[8]我也很奇怪為甚麼也會有數十萬人看？你只要看十五分鐘就基本知道他之後講甚麼了。當一個人的思維模式正在按固定路線走的時候，就表示他進入了一種情緒去自圓其說。這種情緒會影響了我們對這個世界真假的判斷。

那麼在這個社會環境下，我們有甚麼出路？某日我和朋友傾談時，他聊到參加銀髮族遊行的體驗，說在愛丁堡廣場的時候有警察在場，同時遊行隊伍有年輕人及老人。他們說那個情景裡面竟然有很溫情、很感動的畫面。那些年輕人會扶著老人過馬路，然後最有趣的地方是有幾個老太婆對著警察說：「你們以後不要再打人，特別是年輕人了！」警察報以微笑說：「我沒有打人的，我們只是奉公執法罷了！」於是大家也有握手，年輕人也送了花給警察。[9]這些情景可能只是其中一個片段，但他這麼說可能是想表達我們香港人其實背後是很溫情的。這些溫情是香港人的弱點，也是優點。弱點就是我們還沒有經過太大的折磨或挫敗，如對大陸方面雖然我們經常批評中國大陸，但是現實上大多香港人是很少經過「文革」或「大躍進」的。[10]老一輩縱有經過也可能忘記了。就是說我們還沒有經過很嚴謹的所謂用視訊攝影你的行蹤等等的事情。我們有時候在想像方面將大陸一方面妖魔化，另一方面又將這些事情放大，於是就覺得威脅到我們。所以香港人普遍認為如果大陸的管治不影響我們，即「河水不犯井水」[11]的話，是會欣然接受的。

香港人本身在遊行的時候這麼有秩序，一方面的確有一種很純粹、純潔的道德感，但是另一方面就是我們本身承受不起很大的衝擊、分裂。我特別喜歡使用東德和西德統一時候的例子，因其時是經過很大的陣痛的，現在也可以說成功了。[12]這個過程裡面我們看到了西方人的個體主義是比較堅強的。他們不同的地方就會拿出來爭辯，又可以接受原屬東德的默克爾做了這麼久的總理。[13]這個過程裡面一方面是包容，一方面他們又很嚴肅地討論，最後得到一個民族的融和。這點跟我們香港和內地的情況很不同。本來說東德和西德也有文化、經濟水準的差異，在合流時是一定會有陣痛的。我們的陣痛似乎是更加艱難的，就是說我們慢慢趨向一種比較融和的時候就是從二〇〇八年北京奧運的時候到了一個高峰。很多的人包括年輕人都有一種認同國家的感覺，但是接著就急轉直下。[14]這一點的過程裡面跟統治者的模式有很大關係，以前我們也討論過了，大家可以參考一下。

因此，我們面臨的困境在於，一方面，香港許多人逐漸變得自我中心化，另一方面，中國大陸正在努力走向強國。我們香港人和內地人都身處於這種歷史交錯的際遇中，不幸的是，在這種情況下，極有可能會出現兩極化的現象。

**趙** 確實如此，香港人現在確實站在歷史的十字路口！

1 假新聞（Fake news）是指虛構或捏造，蓄意誤導讀者的不實報導，這些報導會以傳統新聞媒體或社交網站流傳，以達到包括增加網站流量或廣告收入、抹黑公眾人物、達到政治運動或公司利益等各項目的。見〈何謂假新聞？〉，《香港經濟日報》，二〇一八年八月十五日（擷取日期：二〇二一年二月二十三日）。讀者如有興趣參閱反修例運動中的假新聞問題，可參閱李立峯：〈後真相時代的社會運動、媒體，和資訊政治：香港反修例運動的經驗〉，《中華傳播學刊》第三十七期（二〇二〇）：頁三—四一。

2 KOL 全稱 Key Opinion Leader，中譯關鍵意見領袖，內地又名「大號」。目前許多這些 KOL 多在網絡活動並發表意見，故一般稱網絡 KOL。同時，一般人可能將另一詞「網紅」和網絡 KOL 混為一談，然「網紅」指在某個領域小有名氣或因一些事件突然爆紅的人，而 KOL 則是已有一定知名度或特定觀眾群。趙氏指之人士一般在 YouTube 或其他直播平台已經累積觀眾群，故名 KOL 較為合適。有關 KOL 與「網紅」的分別見〈KOL 宣傳之：「網紅」與「KOL」怎麼分辨？〉，YouFind（https://www.youfind.hk/），二〇二〇年一月六日（擷取日期：二〇二一年二月二十二日）。

3 殷海光（1919-1969），本名殷福生，為臺灣自由主義哲學學派的開山大師，前國立臺灣大學哲學系教授。其在臺灣戒嚴時期受國民政府打壓。趙氏於此引用殷氏之〈人生的意義〉一文，見殷海光：〈人生的意義〉，載《殷海光先生文集（第二冊）》（臺北：桂冠圖書有限公司，一九八五年），頁九八一—九八八。

4 中國的馬克思主義堅定支持者、前中國領導人及世界歷史重要政治人物毛澤東曾在〈中國社會各階級的分析〉總結中正正使用陶氏所言的全稱概念：「綜上所述，可知一切勾結帝國主義的軍閥、官僚、買辦階級、大地主階級以及附屬於他們的一部分反動知識界，是我們的敵人。工業無產階級是我們革命的領導力量。一切半無產階級、小資產階級，是我們最接近的朋友。那動搖不定的中產階級，其右翼可能是我們的敵人，其左翼可能是我們的朋友——但我們要時常提防他們，不要讓他們擾亂了我們的陣線。」見〈中國社會各階級的分析（一九二五年十二月一日）〉，《中文馬克思主義文庫》（https://www.marxists.org/chinese/index.html），擷取日期：二〇二一年二月二十三日。

5 《共產黨宣言》（Manifesto of the Communist Party）於一八四八年在英國倫敦發表，為世界共產主義歷史上的重要文件。於原文為"A spectre is haunting Europe – the spectre of communism……." 見"Manifesto of the Communist Party," Marxists Internet Archive(https://www.marxists.org/index.htm), accessed February 23, 2021.

6 阿道夫・希特拉（Adolf Hitler，1889-1945，臺譯：阿道夫・希特勒），德國政治人物，前納粹黨領袖，一九三三年至一九四五年擔任德國總理，一九三四年至一九四五年亦任元首。他在一九三九年發動對波蘭的侵略戰，導致第二次世界大戰的全面爆發，同時亦因對猶太人的種族滅絕而惡名昭彰。《我的奮鬥》（Mein Kampf）為他的自傳，於一九二五年在德國出版。希氏在書中的內容融合自己提出的納粹主義（Nazism）、反猶太主義等思想，並在日後自己執政時實現。

7 引用自文國書局版《希特勒：我的奮鬥》之書籍簡介。

8 有關「打小人」傳統習俗的介紹見謝嘉莉編輯、蔡宇飛記：〈解構打小人〉，《大學生月刊》（https://ubeat.com.cuhk.edu.hk/）第六十九期（二〇〇五年五月），擷取日期：二〇二一年二月二十三日。

9 相關報導見〈9000 人參與銀髮族靜默遊行　表達長者支持年輕抗爭者〉，《立場新聞》，二〇一九年七月十七日（擷取日期：二〇二一年二月二十三日）。

10 「文革」全稱「無產階級文化大革命」，其與大躍進（1958-1960）均是毛澤東主政中華人民共和國期間發生的群體運動。讀者如對此段歷史有興趣，中華民國（臺灣）中央研究院近代史研究所通信研究員、中央研究院院士、前近代史研究所所長陳永發對此有詳盡分析。可參閱陳永發：《中國共產革命七十年》（臺北：聯經出版事業公司，一九九八年）。英文著作可參考香港大學歷史系教授馮客（Frank Dikötter）的兩本著作，見 Frank Dikötter, *Mao's Great Famine: The History of China's most Devastating Catastrophe, 1958-1962* (London: Bloomsbury, 2011) 及 *The Cultural Revolution: A People's History, 1962-1976* (London: Bloomsbury, 2017).

11 此句出自前國家主席江澤民，用以解釋對香港的「一國兩制」政策方針。然而近年內地官員已絕少引用此說法。見〈「井水論」源自江總〉，《頭條日報》，二〇一〇年十二月三十日（擷取日期：二〇二一年二月二十三日）。

12 一九九〇年，原德意志民主共和國（東德）以併入德意志聯邦共和國（西德）的方式完成德國統一。

13 安格拉·默克爾（Angela Merkel，1954-，臺譯：安格拉·梅克爾）自二〇〇五年一直出任德國總理至二〇二一年。她本身為東德人。

14 根據香港中文大學傳播與民意調查中心的研究，二〇〇八年正值北京奧運會舉辦，在四月分調查中，有百分之四十一·五的年輕受訪者覺得自己是「中國人」，為回歸以來最高。同期認為自己是「香港人」僅僅過半（百分之五十一），也是歷年最低。後來在政經形勢影響下無以為繼。見趙永佳：〈解讀港人「人心背離」之謎〉，《明報》，二〇一六年四月十九日，頁A24（擷取日期：二〇二一年二月二十三日）。

# 說謊也有正當性？
# 專制主義者的謊言哲學

**陶**　專制主義國家為了粉飾太平，很多時候會刻意說謊或以結果導向自身行為，故我們不能用一般常識道德觀念分析。這些國家的領導人及其從眾不相信資本主義社會提倡的競爭理論，或人與人之間透過合法的程序得到權力。他們認為自己是掌握著絕對真理，而所辦的事也是為人民的福祉著想。有些事情是人民不明白的時候，這些統治者怕人民因聽到額外的東西而有騷動，故啟動宣傳機器以愚昧大眾。例如這些國家需要蓋火葬場，但火葬場這厭惡性的建築物會引起大眾反彈，於是官員跟大眾謊稱是蓋生態公園。[1] 他那套理論就是說我這麼做是為你們好，因為你們不明白，就像論語所說的「民可使由之，不可使知之」。[2] 這個用法放諸今天的話，孔子也可能飽受批評，但是共產主義國家是用得更加明顯的。

關於結果導向的觀點，專制國家的領導人及其追隨者相信他們能夠達到目標，並認為沒有任何事情能夠阻止他們。因此，無論是中美關係還是香港的局勢發展，都會面臨歷史發展中的挑戰和波瀾，這並不稀奇。如果局勢混亂，他們會採取措施加以遏止。他們的思考方式主要集中在如何達到結果的手段上。

然而，這種結果導向的思維模式也存在一些問題。過於強調結果可能忽視了過程中的道德和倫理考慮，以及對人民權益和自由的尊重。過度追求結果的同時，可能忽視了社會的多樣性和公平正義的重要性。

可是，當他們持續使用手段加上謊言達致結果時，很容易墮入唯我獨尊的陷阱。[3]專制國家領導人要牢牢掌控權力，跟西方那種重視個體利益的觀念理論上是不同的。他們為了更高的理想，權力欲會膨脹，不自知而成為一種好像合理的手段。

**趙**　因此，到了現在這一刻，我們真的能確認這些專制國家中的執政黨成員都是馬克思主義或者共產主義的信奉者嗎？我個人對此表示質疑。我認為在當今時代，這些專制國家的執政黨已經形成了龐大的利益集團，並且這個利益集團是以權力為基礎維繫的。如果他們開始與人共享權力，允許地方自治或者回應一些民主的訴求，他們自身的核心利益將會受到威脅。比如，這些國家的國有企業，其利益是難以想像的巨大。如果國家允許新聞自由，讓民眾可以在社交媒體上監察這些企業的行為，那麼這些企業的利益將受到影響。這種對權力的依賴與傳統的馬克思主義理論存在根本的差異。

這也顯示出當今專制國家的執政黨在實踐上已經偏離了馬克思主義的原則。他們更關注維護自身的權力和利益，而不是追求社會的公平正義和人民的福祉。這種現象反映出權力對於一些人來說已經成為一種迷戀和追求，而不再是為了實現社會進步和平等的手段。

**陶**　是的，我甚至對馬克思主義跟中國的墨家學說近似而嘖嘖稱奇。墨家學說中「兼愛」即不分你我高低，所有人都愛。[4] 這理論跟馬克思列寧主義有些地方很相似。另外墨子有云「一人則一義，十人則十義」，[5] 每個人都有不同的意見而眾說紛紜時，則必須要有一個「尚同」，即尚同於天，所以他有天志的觀念。墨家其實是一種神秘宗教。它覺得天志就是透過天子，即皇帝去顯示。天志所眷顧的君主一定是善的。既然君主是兼愛而且是善的時候，自然會將最好的東西給人民，故人民最好不要說話了。實際上這就是把愚民政策合理化了。[6]

**趙** 或者我們可以從墨家的學說看特朗普（Donald Trump，臺譯：川普）和現今專制國家領導人。特朗普就是一種很典型的商人，為了利益對使用任何手段如貿易戰無所不用其極，諸如為了美國的利益又或者為了他個人選舉的利益。現今中國領導人及其統率的政黨，乃至政府外交部發言人等均認為講任何話、做任何事皆無須顧慮「底線」，而是以大局、結果為重。

然而，我們需要清楚地理解，協議和承諾的有效性並非僅僅依賴於當事人的言辭和行為。國際關係中還存在著其他的因素，如國際法、國際公眾輿論、國際監督和制衡機制等。這些因素在一定程度上能夠對行為者的言行產生制衡和約束。這是不是意味著就算他們以後簽訂任何的協議、承諾均是毫無意義？

**陶** 我覺得是的，不過我反而有一個更加抽離的想法。上述兩位政治領袖思想的差異是代表兩個類型的價值觀點，我們暫時不判斷誰對誰錯。其實這兩個類型以佛教來講，本身也是俗情世間中的某一種追逐，但是層次不同。[7]唐君毅先生說人生其實大概有幾樣東西追求，除求生存，大家均共同求名、利、權、勢、位。[8]他說好勝、好色、好勇鬥狠是關乎個人品德，算不上一種很大的人性扭曲。至於好利就是特朗普的思維，因為利益本身是跟滿足連在一起的。在西方我們叫作工具理性，其實背後的思維就是一種效益主義，就是做事情時能起效用，並且最重要的是這件事情能夠提升我們的滿足感。《美國獨立宣言》說人民都有一個追求快樂或幸福的要求。[9]這個幸福其實有層次的高低，較基本的就是提倡資本主義以賺取利益及提高就業率，使生活滿足而令人民幸福。

至於好名就比較複雜了。我覺得中國領導人是相當好名的。幾年前他訪問英國的時候有傳硬是要求與英女皇[10]同坐馬車內，可是習慣上英女皇是不與別人共車的。最後在中英貿易協定中他是相當慷慨的給予大量經濟利益，而這種慷慨亦見於很多國家，包括亞非拉諸國。這其實與目前他通過修憲後能永續執政，乃至中國內地的教堂內放了他的照片等，都是祈求名譽感使然。

**趙**　梁家河[11]就是他以前發跡的地方，現在於中國內地已經成為一個學科了，也開了很多研究中心。在內地很多人都要看他的紀錄片，以及共產黨員每天都要登入「學習強國」客戶端上該領導人的課，學習新時代中國特色社會主義思想。

**陶**　首先，我們需要理解「名」和「權」的兩個層面。從倫理學角度來看，「名」的部分關乎人的一種期望：儘管生命是有限的，但我們希望自己的名字能被長久地記住，甚至得以流傳於歷史之中，譬如我們將某個地方命名為「國璋大樓」。這種想法可以看作是人類自我投射的一種延伸。我過去非常喜歡探討的一個問題是，雖然我們每個人都只有一個身體，但當我們手持劍或槍，能夠影響到他人無法觸及的地方時，這就像是自我在外在世界的一種延伸。「名」最初源於我們對於被他人認可並因此獲得的安全感，然而當這種「名」演變成一種榮譽感時，就變成了所謂的「人死留名」或者「追名逐利」。我記得應該是桓溫曾說過：「人不流芳百世，亦當遺臭萬年。」[12]

至於「權」可分為「權、勢、位」，該領導人均對此有興致。該領導人深信要用權力作為一種手段去實踐他的理想，乃至改變一個世界的秩序，故要通過集權鞏固權力。[13]所以該領導人對其他的共產主義者或派別都不相信，只以自己為正宗。「位」指的是一種歷史的地位，所謂新時代的歷史地位、「中國夢」等其實背後而言很多都是一種生物式的投射。[14]「勢」不是指黑社會的勢力，是指一個影響力。人是很需要自我肯定，普通人的自我肯定就是我有工作、有錢、長得帥等，但對某一些人進入權力圈或某歷史時局中，如中國經濟起飛有資源時在政治鬥爭把對手扳倒。當他突然得到這麼一個位置，就會有想法去放手一搏，希望在歷史裡面立下里程碑。這樣的行為超越一般生死及物質嚮往，使人至死不悔。我覺得這就是該領導人最深層的思想動力！

**趙**　那麼特朗普就相對簡單一點。特朗普當然是重視「名」，如平常一個有錢人沒理由去當真人秀的主持人，但是他又會去做。[15]另外他行為離經叛道，聲譽頗差，如娶一個年齡比自己小很多的太太，[16]又任命他女兒和女婿進入白宮工作等行為受到很大的非議等。他所做的事情往往比較一意孤行，不太考慮別人的感受，純粹是達到他自己內心的一種滿足。

**陶** 現代的網際網絡令每個人都能建立自己的網站，或者每個人都是一個發言者。因此我們就沒有了道德高位，而且需要「門外漢」說出心中的話。特朗普剛剛好就是正在說這些話，言辭有時顯得粗鄙。我們香港不少人受目前的整體狀況影響，髒話是說多了，然這樣反倒把人際關係的距離感拉近，並打破很多我們以前規範的事情。這樣令大家有特別的快感，覺得瀟脫、親近。特朗普得悉這種趨勢後用 Twitter（現已更名為「X」）這種模式發聲，剛好能夠呼應我們大部分的人希望成名，想有一種發言權。不僅如此，他的姿態也是讓你感覺親近之餘，亦好像能給你一些實惠的利益。總結而言，特朗普本身是為了自己的名聲利益而運用上述的模式發言，但是他的行為剛好呼應這個時代裡面人類特有對「名」的一種追求。[17]

**趙** 如果兩個政治領袖性格、行事方向這麼截然不同的話，最後會不會擦出甚麼火花呢？

**陶** 我覺得最有趣的地方就是特朗普永遠不怕丟臉，而專制國家領導人就最怕丟臉。我們這個時代當中是不喜歡道德高位及傳統建制的，可中國領導人很多東西是跟這種現代主流文化對著幹的，如要求一種冠冕堂皇、莊莊重重的姿態，有板有眼的說空話等。這些行為確實落伍了！

**趙**　當今世界正處於右傾的思潮中，個人主義和民族主義的聲音日益高漲。在這樣的情勢下，人們更加強調自身的權益和身份認同，追求的是個體的利益最大化，而非全球共同體的理念。這種趨勢下，全球化正在逐漸退潮，人們更加注重國家的獨立和自主性。然而，在這樣的背景下，有人提出建構「人類命運共同體」的概念，強調全球合作和共同利益。這似乎與時代的潮流相違背，因為人們更加傾向於追求個體的需求和國家的利益，而不願意為全球共同體做出太多的犧牲。

此外，這種思想在中國國內也受到一定程度的質疑和反對。自由主義被視為洪水猛獸，被認為對國家的傳統價值觀和社會秩序造成威脅。因此，在國內強調人類共同體的理念並不被廣泛接受，反而更加注重保護和強化國家的獨立性和國族特色。

總的來說，當前的時代潮流和國內情勢使得建構「人類命運共同體」的觀念顯得不切實際，甚至遭受質疑和反對。個體主義和民族主義的影響力日益增強，對於全球化和跨國合作的意願有所減弱。

1 共產主義是一種結合集體主義的政治思想，主張消滅生產資料私有制，並建立一個各盡所能、各取所需的生產資料公有制，進行集體生產，以階級鬥爭建立無階級的社會。現實中共產主義國家外交部及其轄下的地方政府利用謊言或手段粉飾太平猶如作家佐治・奧維爾（George Orwell，1903-1950，臺譯：喬治・歐威爾）在其名作《一九八四》（Nineteen Eighty-Four）描繪的社會中「真理部」日常篡改歷史的動作。

2 出自《論語・泰伯篇》。

3 諸如中央政府常常不解自己為地方政府提供食水物資，何解它們仍不歸順？

4 《墨子・兼愛上》謂：「若使天下兼相愛，國與國不相攻，家與家不相亂，盜賊無有，君臣父子皆能孝慈，若此則天下治。」

5 《墨子・尚同上》云：「是以一人則一義，二人則二義，十人則十義，其人茲眾，其所謂義者亦茲眾。」

6 《墨子・尚同上》言：「國君者，國之仁人也。國君發政國之百姓，言曰：『聞善而不善。必以告天子。天子之所是，皆是之，天子之所非，皆非之。去若不善言，學天子之善言；去若不善行，學天子之善行，則天下何說以亂哉。』察天下之所以治者何也？天子唯能壹同天下之義，是以天下治也。」

7 此為佛家所稱兩位政治領袖均有自己的「結」。

8 陶氏在此引用唐先生的觀點見唐君毅：《人生之體驗》（上海：中華書局，一九四四年），頁三十八。

9 《美國獨立宣言》寫道 "We hold these truths to be self-evident, that all men are created equal, that they are endowed by their Creator with certain unalienable Rights, that among these are Life, Liberty and the pursuit of Happiness."，全文見 "Declaration of Independence: A Transcription," National Archives(https://www.archives.gov/), accessed February 17, 2021.

10 英女皇伊利莎白二世（Her Majesty The Queen Elizabeth II，1926-2022）曾是英國與其他十五個大英國協王國的君主，以及大英國協元首。繼位者為其子查爾斯三世（Charles III，1948-）。

11 梁家河是一個位於中國陝西省延安市延川縣的村落，該領導人在無產階級文化大革命中曾作為知識青年下鄉參與勞動並擔任黨支部書記。

12 出自《晉書．桓溫傳》；唐君毅對「名譽心」亦有分析，見唐：《人生之體驗》，頁四十二—四十四。

13 陶氏在此稱讚並引用了唐氏對「權勢」的看法，見唐：《人生之體驗》，頁四十四。中國籍旅美政治學家、喬治亞理工大學納恩國際事務學院教授王飛凌認為目前的情況是在建構一個類近「秦漢帝國政體」，以中國法家思想主導的「中華秩序」，並會挑戰目前主權國家之間以「西發里亞和約」（Peace of Westphalia）為綱的國際體系，見 Fei-ling Wang, *The China Order: Centralia, World Empire, and the Nature of Chinese Power* (Albany: SUNY Press, 2017).

14 該領導人除提倡中國夢外，亦有說法覺得他刻意把自己管治的時代跟秦漢帝國或漢唐盛世比擬。

15 特朗普在二〇〇四年至二〇一五年間在美國 NBC 的一檔電視真人秀系列節目《飛黃騰達》（The Apprentice，臺譯：《誰是接班人》）擔任主持。

16 其現任妻子梅蘭妮亞・特朗普（Melania Trump，1970-）原為模特兒，年齡比特朗普小二十四歲。

17 有關特朗普使用 Twitter 的情況與引導公眾輿論的關係，見 Paromita Pain and Gina Masullo Chen, "The President Is in: Public Opinion and the Presidential Use of Twitter," Social Media + Society, April-June 2019: 1-12, https://doi.org/10.1177/2056305119855143.

# 為何會有人支持專政？

**趙** 我平時喜從學術角度如國際關係學、社會學、經濟學、哲學等領域探討政治問題。[1]在香港學術界有一種說法，就是本地人的學歷和對政權的支持呈反比。[2]可是近年似乎也有不少大學學者露面支持建制派，如我以前曾經當作偶像的張五常、李天命等全部變成親建制的學者。[3]那從哲學上應該怎麼理解這個問題呢？

**陶** 簡單說，某些知名親建制派人士因維護自己的利益而愛國、支持中央，我們稱呼為效益主義者。[4]可是親建制派人士許多均對民族、國家有很深層認同。根據勞思光先生的講法，這和中國在近代史中經歷了幾個階段有關。[5]在鴉片戰爭後，中國出現了洋務運動。洋務運動失敗後，中國的知識分子開始另謀出路。其時諸派冒起，有些人是立憲派、有些人像孫中山一樣是政治改革派。眾多知識分子都有一個很強烈的救亡運動意識，於是以救亡代替啟蒙及知識反省，一窩蜂把西方所有東西拉過來。有些知識分子甚至認為中國每樣東西都要西化以便救國，故這樣間接讓共產主義興起。[6]另外，當時的知識人發現八國聯軍之一的前蘇聯居然對中國人伸出橄欖枝，還廢除對中國的不平等條約，使知識分子對前蘇聯大為改觀。[7]

**趙**　社會主義建基於無產階級，其理念就是幫助弱勢。中國的留學生最多是去日本，另有些去了歐洲。他們最容易接受吸收的思想就是社會主義，例如留學日本的人基本上也是聽社會主義學派的人授課。

另一方面，「救亡代替啟蒙」這一理論是由周策縱教授所創設的，八〇年代在中國引起極大的反應。他透過此觀點鮮明地塑造出當時中國民眾的困境，就如同一個瀕臨溺水的人驚慌地在海中掙扎。在這樣的狀況下，啟蒙並沒有被救亡的急迫性所替代，而是在一段時間內，啟蒙的觀念透過救亡的名義得到了熱烈的回響，廣為流傳。然而，面對如此急迫的生存危機，人們往往沒有精神去深思如哲學辯證等抽象且深奧的概念，而是會全力以赴去抓緊可以維持生命的救生圈。這是周教授那一代學者對於當時中國人情緒與心態的敏銳洞察與精準詮釋。[8]

在那個時期，列強雖眾，但僅有一九一九年成立的前蘇聯願意伸出援手協助中國，更進一步承諾放棄與中國的不平等條約。這實際上為中國提供了一條救生繩，因此，當時的中國選擇抓住這個機會，也是順應了人性的求生本能。「救亡代替啟蒙」這種觀點提供了一種對於當時中國社會接受社會主義的深度解釋，從而使得整個社會現象的理解更加深入與全面。

**陶** 關於剛說的廣義「藍絲現象」上，我有兩層分析。[9]一方面這些人對共產政權有很多反省，或者說不接受。大概是因為這些「藍絲」年紀偏大，閱歷較多，所以很自然地對共產主義有某種意義上的批判。另一方面，我看到很多年紀比我還大的朋友高舉中國「強起來」的旗幟掩蓋它的缺陷。他們看到國家強起來、看到它的女子排球隊奪冠、看到它加入世界貿易組織後慢慢富起來且成了世界第二大經濟體等而變得自豪，衍生強烈的民族感情，此謂之「個體投入集體裡後的自我膨脹」。

然人類有個思考盲點，就是「非黑即白」。民族感情的建構更多是一種廣義的鄉土情懷，使你認同中國社會文化、地利等。我們回內地旅遊時會感覺比起法國、德國等地方更親切，畢竟食物、語言、價值觀念也差不多。這種鄉土情懷加上國家本身形象提升，使這些「藍絲」對國家陰暗面予以寬容的態度，希望給予時間改變。所以我一般觀察到他們大多不願意討論國家的負面問題，這裡很多就是心理因素使然。[10]

**趙** 中國人目前還遺留「天朝大國」的心態。他們覺得國家越強，人民則越威風八面。[11]今天中國有一個說法：「毛澤東讓我們站起來，鄧小平讓中國人富起來，現在習近平讓我們中國人強起來！」所以中國的任何事都要以中國富強為先，其他事情就要忍耐或稍延處理。這樣確實造成不少難以修補的道德問題，值得深思。[12]

**陶** 是的。中國人現今覺得社會只有強權，無所謂真理。他們基於「百年屈辱」的觀念，認為現在強起來就可以不顧一切，只問為了未來的理想與永續繁榮強盛。至於人道主義，他們批評這是一種粉紅色的夢，就是說同情、幫助其他人會產生浪費。

另外，中國不少人現在提倡說國家要恢復漢唐盛世，又云中國要如乾隆時期一般有「十全武功」[13]以報復百年屈辱。就這點而言，我們深入研究歷史的話就會對此等口號滿腹狐疑：究竟這些朝代偉大在哪？抑或這純粹是在託古說今？我的分析是這些論述反映中國人多要求一種光耀門楣及集體性的光榮感，而個體意識則比較弱。歐美地區的人就是以個體意識的英雄主義為先。英雄主義當然有它的問題，但基本而言會有忠於自己的一面。所以我們發現歐美地區的人有一個很重要的優點，就是不輕易說謊及變得狡猾。當然爾虞我詐一樣有，但是這裡的意思是歐美地區的人認為狡猾會有負於我個體的榮耀。反而觀之，當今中國人口曰孟子「四端之心」，實質盡皆殆滅。[14]

**趙**　我無法確定中國人是否有特別喜歡說謊的傾向，但我在閱讀金耀基教授的書時，確實了解到中國人重視面子和鋪張的傾向。當我們問對方「你吃飯了嗎？」的時候，這實際上並不是真正關心對方是否吃過飯，而是一種開始交談的形式。即使對方尚未進食，他們也可能會回答已經吃過，這在某種程度上可以被視為一種說謊。王力在〈請客〉一文也說：「中國人是最喜歡請客的一個民族。從搶付車費，搶會鈔，以至於大宴客，沒有一件事不足以表示中國是一個禮讓之邦。我的錢就是你的錢，你的錢也就是我的錢，大家不分彼此；你可以吃我的，用我的，因為咱們是一家人。這種情形，西洋人覺得很奇怪。恕我淺陋，我沒有見過西洋人搶付過車費，或搶會過鈔。我們在歐洲做學生的時代，因為窮，大家也主張『西化』，飯館裡吃飯，各自付各自的錢，相約不搶會鈔。西洋人宴客是有的，但是極不輕易有一次，最普通的只是來一個茶會，並不像中國人這樣常常請朋友吃飯。這些事情，都顯得中國人比西洋人更慷慨更會應酬。」[15]

在中國的文化背景中，人們對於面子和鋪張有著深深的重視。例如，當人們問及「你吃飯了嗎？」這不僅是單純詢問對方是否用餐，更多的是一種社交的開場白。即便未曾用餐，回答者可能會為了面子說已經吃過，這某種程度上反映了中國人在面對某些日常情境時的回應策略。此外，王力在其文章中也指出中國人在社交場合中的慷慨和熱情，舉例如搶著支付費用、頻繁地宴請客人等，這都顯示了中國文化中的互助和禮讓精神。相對地，西方文化在這方面則有所不同，且他們可能不太理解中國人這種特殊的社交方式。

**陶**　這個我覺得稍欠公平，因孫隆基在《奴化的人：中國文化的深層結構》一書中，闡述了中國人重視面子，偏向形式的觀念。他甚至將其定義為一種「他制他律」：即行為模式大多受外在控制和規範，缺乏自我調節的意識。

進一步來看，這也表現在喜好透過人情交往、建立人脈關係等方面。孫隆基從中國人的血緣結構出發，認為人際關係的核心在於和諧，舉例來說，一頓共享的飯就是一種「和」的展現。然而，沿著這條路徑深入分析，可能會引導我們得出一些關於中國人的貶低性判斷。[16]

**趙**　回到「藍絲」問題。中國素有知識分子抗命的傳統，自古以來漢代有太學生上書、明代有東林黨、清代更是有清流黨，乃至五四運動都是中國傳統知識分子的抗命精神。尊重和理解學生的抗爭傳統，並認識到這是中國知識分子傳統中的一部分，這在一定程度上與「藍絲」將學生抗爭視為搗亂的態度形成對立。其次，「黃絲」的「反中」立場並不排斥對中國知識分子傳統的認識與理解，甚至可能基於此傳統去挑戰和質疑當前的權威。

雙方都出現了將對方妖魔化的現象，這無疑會加劇雙方的對立，並阻礙更深入的討論和理解。所以，我們需要的是理性和寬容的對話，而非將對方妖魔化的辯論。這樣才能真正促進社會的進步和發展。「藍絲」大多支持中國政府，但常說學生搗亂，「黃絲」反中，還冷嘲熱諷以把對方妖魔化。[17] 邏輯上可有不通？

**陶**　我會用心理學的角度說，就是「輕不著地」的時代出現了。[18] 中國共產黨統治內地這麼多年，對知識分子的尊嚴可謂折磨殆盡。[19] 至於香港，眾人皆沒有經歷饑荒或生活壓迫。雖說香港言論自由受影響，但程度尚不如「文革」年間。於是這個「輕不著地」的時代有個特點就是社會渴望和諧，甚至是以前說的逆來順受。他們看到國家的正面後，則自圓其說並謂香港須多多學習。另一方面，他們認為世界到處是鬥爭，美國一樣在壓迫中國，故一刀切地認為「天下烏鴉一般黑」。此正是「差不多先生」的思維！[20]

**趙**　所言甚是！經常有人對我提出批評，指責我只關注祖國的問題，卻對美國等其他國家的問題保持沉默。他們常常問我：「為甚麼不同樣對待其他國家的錯誤？」對於這樣的指責，我常常反問：「如果我作為一個小學老師，處罰了一個調皮的學生，他卻指責我不懲罰其他同學，那麼這樣的指責是否合理呢？」

這個比喻揭示了一個重要的邏輯錯誤，即「說一就要說全」的謬誤。正如小學老師有權懲罰調皮的學生一樣，我有權批評祖國的問題。每個國家都有自己的問題和挑戰，我作為一個觀察者和評論者，關注和批評祖國的問題是我負責的範疇。這並不意味著我對其他國家的問題視而不見，或者是對其過失縱容。我相信，每個國家的問題都值得被討論和關注，但這並不影響我對國家問題的批評和反思。

這種「雙重標準」的批評是不公平且缺乏邏輯的。我批評祖國的問題並不意味著我支持其他國家的錯誤或過失。作為一個公民和觀察者，我希望看到祖國變得更好，解決問題並實現進步。這種自我反省和批評是建設性的，有助於改善社會和推動發展。

**陶**　這就是我們經常說的「擴大論點」，意味每個地方都有它的黑暗和政治鬥爭，但是有程度上的分別，即一般我們說的權力制衡。在美國，總統就算做了甚麼事也有傳媒及公眾的制衡，如「水門事件」（Watergate scandal）傳媒和公眾的監察迫使時任美國總統理查．尼克松下台。當某種東西到了極限的時候，制衡就發揮其作用。而這種制衡不僅僅是一種機制，而是整個社會文化和每個人共同遵守的行為規範。換句話說，它的存在並非單一來自制度設計，更多的是來自於社會文化和公民素養的累積。只有在這種背景下，制衡才能真正發揮其效果，防止權力的濫用，維護社會公正和公民權利。

**趙**　每當美國政府發動戰爭時，總是會引發反戰示威運動。回顧上世紀六〇年代和七〇年代，美國內部湧現出強烈的反越戰浪潮。即使在二〇〇一年「九一一襲擊事件」之後，時任總統喬治．布殊（George Walker Bush，臺譯：喬治．布希）決定出兵阿富汗和伊拉克，同樣引起了許多人的反對聲音。這展示了在世界上存在著一種制衡的現象，當政府行動引發爭議時，人民發聲並表達不滿是正常的。

然而，有趣的是，有些人一方面紀念著五四運動，強調對學生運動的關注和尊重，卻同時主張緊盯現代學生的言論和行為。這種矛盾的態度令人困惑。五四運動正是為了捍衛學生的權益、發聲和追求自由。當今社會，我們應該懷有開放的思維，尊重學生的獨立思考和表達意見的權利，而不是將他們置於過度監視和限制之下。

這種矛盾現象提醒我們需要保持一致性和邏輯性。如果我們欣賞和敬佩五四運動所代表的價值，就應該同樣尊重學生的自主性和獨立性。否則，我們將陷入一種思想上的悖論和雙重標準。因此，我對這種矛盾的看法感到困惑和無法理解。我希望我們能夠以一致的標準來評估和對待不同的情境，以確保思想上的一致性和邏輯性。

**陶**　這是又分幾個問題去思考。其一，這是一個永恆的代溝問題。年長的人覺得年輕人的行為太進取，等於說我們以前也覺得爸媽很保守，但他們覺得我們是痞子。

其二，就是所有東西都有一個理論建構及歷史發展的過程，諸如民主、自由和監察制等，然香港近年的政治氣候使大家覺得很無助。我自己在大學授課時，大約有八成學生對政治沒興致。至於激情的那一批，即所謂的本土派其實仍然沒有脫離我們年輕時候信奉左派或者馬克思主義的模式。[21]他們是透過一個理念為綱，然後把問題簡化去建立自己的論述。這裡其實就是幾個觀念循環使用，例如這個世界全部是建制力量把持利益，令所有事變得不公義，所以世界必須鬥爭之類的思維。另外就是內地人正嚴重影響我們的生活及侵蝕本土特色，故大家須起來反抗並保留自身價值。正如一些理論闡釋，年輕人的特點就是比較有激情，但另一方面會較為衝動，加上閱歷不夠，於是把理論簡化。我們如果計算一下他們批評內地人的理論，就會發覺加起來大概只有五、六個觀念。

其三，我覺得中國內地除了政治體制以外，人的無恥感及缺乏「內聖外王」的修為破壞了社會穩定的原則。社會穩定是基於誠信，即人與人之間有一個基本的認同肯定。可是我們現在的「威權統治模式」缺乏言論自由予以制衡。[22]人的權力容易引起貪念，如內地貪腐問題嚴重皆因官場的裙帶關係及許多貪官均認定自己是為子女前途著想。[23]這跟西方人的貪污不一樣。

**趙** 在西方社會中的貪腐行為是如何表現的？

**陶** 大部分的西方貪腐行為都源於個體的無盡欲望。

**趙** 也就是說，西方人的貪腐是出於自身的邪惡，而中國人的貪腐則是出於家庭的需要？

**陶** 對，有時候也會為了犧牲某些東西，而陷入姑息養奸的思維模式。

**趙** 這是否可以看作是一種「正反合」的辯證過程？[24]

**陶** 任何事物都能說「正反合」辯證，但這不表示世界應該這樣，畢竟有些東西還是要有底線。辯證法有個缺點，乃是會將任何東西自圓其說，例如我們今天為甚麼坐在這裡，因為你讀歷史、我讀哲學，我們不一樣，所以坐在一起探討了。另一方面又能解釋成是因為我們同受中國文化影響，所以坐一起了。那怎麼都能說得通？這種自圓其說式的描述讓世界的事物只予以一種通則解釋，如社會發展就是辯證的，會慢慢到大同社會，而這歷史潮流不可抗拒。事實上，人類最大的特點就是我們不知道未來。世界上總有很多未知的事物，而這些未知事物合成的化學變化非人類的智力能駕馭，但又不是表示世界是命定的或偶然的。人類能發展到現在，不管是因為生物演化、人類道德良知的不斷勉勵，或者是政府及知識分子的推動，其實均離不開我們對於某些傳統的價值信念。[25]

現在我們會錄製這類型的節目非為利益，而為未來的傳承。另一方面，我們也能承接以前一眾先哲如莊子、孔子、蘇格拉底對人類的反省。不管他們的學說對錯與否，這些反省在現今確實有開放討論的價值。正如儒家常提倡人類對生死的超越並不是個體死亡，而是我們有一個文化傳承。所以讓一些我們認為是正面的觀念一直傳下去，就是我們文化生命的延續。

**趙**　我們也可以將這種情況視為「三不朽」中的一種：「太上有立德，其次有立功，其次有立言，雖久不廢，此之謂不朽。」[26]我們可能無法立功，但我們至少可以通過言語將我們的觀點和思考留給後人。

**陶**　這種「立言」不僅僅是出版書籍以留下我們的名字，更重要的是，這顯示了我們對未來的關懷和期待。因此，它將我們與未來的世界連接起來，儘管那個世界目前還是未知的。

**趙**　坦白說我要是為了收視率，天天講政治議題吸引眼球就可以。我們要做這麼多這類型的節目就是將知識共享以引起大家思考。最後我作個總結。我們在崇基禮拜堂進行對談是一件有趣的事情。因為香港的宗教自由受法律保障，而其他地方則不一定。[27]可我發現有些大型宗教機構表面主張宗教自由，但實際上支持別人收窄宗教空間。我懷疑這種宗教自由的風氣能維持多久？

**陶** 大部分的宗教主要宣揚包容，以及它們相信自己的觀點傳播後會讓人得到永生或者更高的價值。可是這種觀點容易變得以自身教派利益為先，而容易遭人利用。例如在中國的佛教團體大多跟內地政府關係良好，且配合統戰工作。基督教則還有一些地下活動。[28]

**趙** 另一個問題是，許多時候這些宗教團體似乎已經偏離了他們的初心。現在，在中國內地，許多佛教等宗教活動在進行法事禮拜之前都需要先播放國歌。對於這一點，我有一些疑惑：佛教的出家人是以「諸法無我」為核心理念，這裡的「無我」概念與「國」的概念似乎存在著一種內在的矛盾。「諸法無我」是佛教的基本信念，意味著所有的事物都沒有固定的本質或自性，它們都在互相依存且不斷變化之中。相對的，「國」是一個固定而具體的概念，代表著特定的地理區域、文化和政府組織。這兩個概念在理論上存在著明顯的對立。既然「諸法無我」，又何來有「國」呢？

1 趙氏在此提及啟發自己的許多學者，如以下兩位：山繆．P．杭亭頓（Samuel P. Huntington，1927-2008），已故美國國際關係學學者，知名於其「文明衝突論」（The Clash of Civilizations），見 Samuel P. Huntington, *The Clash of Civilizations and the Remaking of World Order* (New York: Simon & Schuster, 1996)；邁可．桑德爾，美國政治哲學家、哈佛大學政治哲學教授。趙氏在影片中特指認為桑德爾提倡的社群主義（Communitarianism）並非美國主流思想，而比較算是異軍突起的東西。見 Michael J. Sandel, *Justice: What's the Right Thing to Do?* (New York: Farrar, Straus and Giroux, 2009).

2 以香港中文大學香港亞太研究所公布二〇二一年一月分市民對特首林鄭月娥整體表現評分為例，擁有大專或以上學歷的市民只給予十八．一分，而小學或以下學歷的市民則給予四三．二分。見中大香港亞太研究所電話調查研究室：〈中大香港亞太研究所公布 2021 年 1 月分特區政府及特首民望意見調查結果〉，香港中文大學香港亞太研究所，二〇二一年一月二十七日（擷取日期：二〇二一年三月三日）。

3 張五常（1935-）為生於香港的國際及大中華地區知名經濟學家，產權經濟學代表人物之一；李天命（1945-），香港分析哲學家、邏輯實證主義者、作家、詩人。前香港中文大學哲學系講師。

4 效益主義者認為利益本身是跟滿足連在一起的，做事情時講求效用，並且最重要的是這件事情能夠提升我們的滿足感。

5 香港中文大學哲學系榮休教授及臺灣中央研究院院士。勞氏的觀點見勞思光著、梁美儀編：《歷史之懲罰新編》（香港：中文大學出版社，二〇〇〇年），頁五十四—五十五。

6 如中國著名思想家、哲學家、文學家胡適（1891-1962）提倡「全盤西化」。

7 一九一七年俄國革命後，蘇維埃社會主義共和國聯盟（Union of Soviet Socialist Republics, USSR）正式成立。雖然於同年表面上自願放棄其在中國的特權，然實際上從未兌現承諾，更於其後強佔唐努烏梁海及外蒙古。

8 周策縱（1916-2007），美國威斯康辛大學（University of Wisconsin）東方語言系和歷史系終身教授，國際著名紅學家和歷史學家，尤其精於對中國五四運動的研究。其「救亡代替啟蒙」的整體論述見其巨作 Tse-tsung Chow, *The May Fourth Movement: Intellectual Revolution in Modern China* (Cambridge, Massachusetts; London: Harvard University Press, 1960).

9 自二〇一四年末香港爆發雨傘運動後，「深藍」一詞泛指建制派／親中派的堅實、甚至激進的支持者。「深黃」則與之極端相對，泛指香港支持民主改革、追求自由的急先鋒。二〇一九年因《逃犯修訂條例》引起的社會運動（下稱「反修例運動」）後，「深黃」的政治光譜更延伸至支持香港獨立、自決等，並主張與中國內地完全切割。見〈【反修例】從百花齊放到只有藍黃：顏色能否代表我？〉，《香港01》，二〇二〇年六月八日（擷取日期：二〇二一年二月十日）。

10 有關鄉土情懷的思念、展現，請拜讀已故詩人余光中的大作〈鄉愁〉。

11 見 Fei-ling Wang, *The China Order: Centralia, World Empire, and the Nature of Chinese Power* (Albany: SUNY Press, 2017).

12 趙氏在此以自己創立，言詞較為「粗鄙」的「他人仆街主義」（The Other Pklism）形容目前中國人的道德問題，即「各家自掃門前雪，不理他人瓦上霜」。見趙善軒：〈論中國人的他者仆X主義（theotherpkism），20200627〉，YouTube 頻道《Gavinchiu 趙氏讀書生活》（https://www.youtube.com/@gctalk），二〇二〇年六月二十七日（擷取日期：二〇二〇年六月二十七日）。

13 清朝乾隆皇帝（原名愛新覺羅．弘曆，1711-1799）撰寫《十全武功記》時自述其十大重要勝利的戰事如下：「平準噶爾為二，定回部為一，掃金川為二，靖臺灣為一，降緬甸、安南各一，即今二次受廓爾喀降合為十。」他以此為傲，自號「十全老人」。

14 歐美地區人士多受古希臘、古羅馬文明影響，特別崇尚《荷馬史詩》（Homeric Hymns）中的英雄，如海克力斯（Hercules）、奧德修斯（Odysseus）等；「四端之心」謂「惻隱之心、羞惡之心、辭讓之心、是非之心」，即「仁、義、禮、智」，出自《孟子．公孫丑上》。

15 王力（1900-1986），字了一，原名王祥瑛，男，廣西博白人，中國著名語言學家、翻譯家、詩人、散文家。

16 孫隆基（1945-），臺灣歷史學者，現為國立中正大學歷史學系兼任教授。這裡有關孫氏的說法見孫隆基：《奴化的人：中國文化的深層結構》（香港：香港集賢社，一九八五年），頁一三三－九六。

17 蕭若元曾在自己的母校聖保羅書院舉辦舊生論壇中直言香港政治生態中黃、藍雙方互相認為對方為邪惡令社會兩極分化變得嚴重。見蕭若元：〈妖魔化對方造成香港兩極分化「聖保羅書院舊生論壇」2016-12-21〉，YouTube 頻道《謎米香港（memehongkong）》，二〇一六年十二月二十一日（擷取日期：二〇二一年三月三日）。蕭氏雖獲戲謔為「燈神」，即常常於時事預測中作出與結果相反的預判。不過在此二〇一六年的判斷準確預示中香港以後的二〇一九年「反修例風波」，實在令人欽佩。

18 捷克文學家米蘭．昆德拉（Milan Kundera，1929-2023）在其成名作《生命中不能承受之輕》（Unbearable of Lightness of Being）提出「輕不著地」的觀點。人「輕不著地」的處境就是一種「虛無」的狀態，即使物質滿足心靈卻非也。見陶國璋：〈輕不著地的處境〉，陶國璋的教學世界（https://taock2011.blogspot.com/），二〇一一年五月十五日（擷取日期：二〇二一年三月三日）。

19 諸如先前一系列的群眾運動如「百花齊放，百家爭鳴」與「反右」運動（1956-1958）、無產階級文化大革命等。

20 出自胡適的〈差不多先生傳〉。胡氏用「差不多先生」的形象諷刺當時的中國人凡事馬虎苟且、敷衍塞責。

21 「本土派」為香港自二〇一〇年起出現的政治派系，主張以香港本位、香港人利益出發，抗拒中港融合；「左派」這名詞是來自法國大革命時期，在法國國民議會中坐在左側，反對當時法國的君主制，支持共和制、反教權和世俗主義的派別便稱為左派，而議會右側是保王黨議員，代表保王派、天主教會、貴族及後期包含資產階級的政治力量，即右派。後來，左派主要是指支持平等原則、平等主義的派系。

22 英國牛津大學現代中國歷史與政治教授，聖十字學院院士，著名歷史學家芮納・米德於《外交》把目前以「中國模式」生成的「中國力量」形容為「由威權主義、消費主義、全球野心及科技發展結合的關係網下千變萬化動態的力量」，延伸則為見 Rana Mitter, "The World China Wants: How Power will-and Won't-Reshape Chinese Ambitions," *Foreign Affairs* 100, no. 1 (January/February 2021): 161-174.

23 許多中國貪官均希望把子女送去英美名校如哈佛大學、史丹福大學（Stanford University，臺譯：史丹佛大學）等名校，如因貪污而鋃鐺入獄的前重慶市委書記薄熙來的兒子薄瓜瓜為牛津大學貝利奧爾學院（Balliol College, Oxford，臺譯：牛津大學貝里歐學院）哲學、政治學及經濟學學士、美國哈佛大學甘迺迪政府學院（John F. Kennedy School of Government, Harvard Kennedy School，HKS）攻讀公共政策碩士及美國哥倫比亞大學（Columbia University）法學博士。美國漢學家、哈佛大學費正清中國研究中心（Fairbank Center for Chinese Studies）前所長及哈佛中國基金主席柯偉林（William C. Kirby）教授更曾斷言：「或許作為默認結果，美國的大學將繼續享受作為培育領導者的創新場所的幸福時光。」見柯偉林：〈為甚麼會有那麼多中國學生來到美國？〉，載陸德芙（Jennifer Rudolph）、宋怡明（Michael Szonyi）編，余江、鄭言譯：《中國36問：對一個崛起大國的洞察》（The China Questions: Critical Insights into a Rising Power）（香港：香港城市大學，二〇一九年），頁一八五—一九一。

24 此出自德國哲學家黑格爾的辯證法思維。

25 近年此觀點受到以以色列歷史學家哈拉瑞（Yuval Noah Harari，1976-）為首，以大歷史的角度與未來大數據等發展為挑戰。同時，學術界近來也從物質文化史及社會經濟史等領域入手，開始反思傳統以來以論述出發的思維，如彭慕蘭（Kenneth Pomeranz）的《大分流》。這樣其實使大家更能勾勒出人類文明進步的各種軌跡及增潤研究方法，其與傳統的哲學思辨並沒有衝突。兩書見 Yuval Noah Harari, *Sapiens: A Brief History of Humankind* (New York: Harper, 2011) 及 Kenneth Pomeranz, *The Great Divergence: China, Europe, and the Making of the Modern World Economy* (Princeton, N.J.: Princeton University Press, 2000).

26 出自《左傳．襄公二十四年》。

27 根據《中華人民共和國香港特別行政區基本法》第一百四十一條：「香港特別行政區政府

不限制宗教信仰自由，不干預宗教組織的內部事務，不限制與香港特別行政區法律沒有抵觸的宗教活動。」見《基本法》網站：〈第六章：教育、科學、文化、體育、宗教、勞工和社會服務〉，《憲法及《基本法》全文》（https://www.basiclaw.gov.hk/tc/basiclaw/index.html），最後更新：二〇一九年二月八日。

28 有關中國基督教的地下活動，見邢福增：《新時代中國宗教秩序與基督教》（香港：德慧文化，二〇一九年）。

# 青年人的困境與對策：防止他們陷入絕望，論「生於亂世」的命題

**趙** 今天我們有機會與陶國璋教授再次探討現今香港的一些議題。最近一個月來，社會上屢見青年人輕生的事件。[1]首先，我要呼籲大家，對於這些事件請勿過度渲染，因為這可能導致更多模仿自殺的情況。在社會心理學中，我們稱這種現象為「從眾效應」，當社會出現一系列的自殺事件時，可能會影響更多人的情緒，甚至推動他們付諸實際行動。我明白，當下的香港青年人在付出巨大努力後，往往得到的卻是重重挫折，從而對未來感到絕望。面對這種情況，陶教授，你是否能為香港青年提供一些建議或指導？

**陶** 這種情況真的讓我深感同情。在與學生的閒談中，我發現他們在面對困境時往往感到無助，甚至有些人會透露出一種對自殺的種種思考。面對這樣的現象，我認為我們首先應從學術的角度來理解自殺，再深入分析當前青年人所處的困境，最後提出可能的解決建議。

根據法國社會學家艾彌爾・涂爾幹（Emile Durkheim）的理論，自殺可以分為三種類型：自我中心型（Egoistic）、無規範型（Anomic）和利他型（Altruistic）。[2]根據我的觀察和判斷，我認為近期選擇自殺的青年人多數處於自我中心型和無規範型之間。無規範型的自殺往往源於突發性事件引起的社會不穩定感和焦慮，例如二〇〇三年SARS爆發期間的大量疾病和失業，導致自殺率大幅上升。然而，大部分的自殺個案實際上都屬於自我中心型，這種自殺往往源於個人的自我中心的感受，例如老人因感到自己無用、孤獨、被遺棄而產生的抑鬱情緒，導致他們選擇了結自己的生命。[3]

不過我們需要留意，青年人的那種利己型狀態跟老人的有所分別。我通過調查，包括看網上資訊或詢問同學後，發現這些青年人選擇輕生是有幾個原因：一、就讀中學或以前曾遭欺凌而有陰影，自尊低落；二、曾經有親人自殺；三、自己外表相對較差而自慚形穢。他們擁有其中的情況後，再受目前的社會動盪誘發下覺得世界太殘酷，人生無出口，最後有一種一了百了的心態。這個感覺遍布於現在的香港青年，並與現在社會的流動性比較低及政治環境有關。另外根據網上資料顯示，這些青年說曾經萌芽這種自殺的原因是自己覺得其他人不了解其自殺的心境。實際上，人欲自尋短見的話並不是你所想像中的一時衝動，而是在持續自我掙扎後再不斷計畫，例如參考電影橋段。到了某一個階段去嘗試時有可能因恐懼而放棄。然而每當回到了掙扎的階段，他可能會加強自己的念頭和部署，形成惡性循環。最後到了他自己的臨界點後，就真的是「一失足成千古恨」。[4]

**趙**　這幾年來，香港青年自殺問題的成因多被歸咎於教育制度的缺失，導致學生承受了巨大的學業壓力。然而，自二〇一九年六月起，從許多青年人的遺書或留言中，我們可以看到他們輕生的原因中，對當時的政經局勢的不滿成為了重要的一環。這種情況讓我們感到遺憾與矛盾，因為從歷史我們知道，有許多人因為替政治訴求獻出生命而受到歌頌。就像幾年前的中東茉莉花革命爆發，實際上源於一位年輕小販因貨品遭政府沒收與個人尊嚴受辱，而選擇以自焚的方式來控訴政府的行為。[5]這種情況在我們看來是矛盾的，因為我們一方面對那些為理想犧牲的人充滿敬仰，但另一方面，我們又不希望這些年輕人放棄他們富有潛力的未來、他們的朋友和家人。陶教授，你對此有何見解或指導可供分享？

**陶**　我想這不是指引，而是我們要了解香港青年人的特殊心境。這些青年人的自殺並不如上述茉莉花運動的自焚控訴或譚嗣同的為國犧牲。[6] 香港青年人大多有一種很強烈的無助感。除上面提過的社會流動性問題，另一個重要的社會學理論去闡釋就是他們正活在一種後物質消費型態。在二戰後香港經濟匱乏，且湧入大量難民。每個人視香港為「借來的空間」，並希望賺大錢以改善生活，故被稱為「經濟動物」，文化素養則相對較差。[7]

**趙**　那個年代所謂「獅子山下」精神就是拚命賺錢，大家多對政治冷感。[8]

**陶**　但是到了九〇年代，香港經濟起飛並有了富裕成果。青年人的父母一般都比較有積蓄的，故沒有需要直接去謀生。這件事情的好處是甚麼呢？他們的消費是沒有那麼物質性的，而且多了關心個人形象及發掘自身興趣，例如現在流行的「窮遊」就是認為旅行並非單純為了購物，而是追求生活情調。另外，他們在普世「後物質主義」浪潮影響下更重視個人自由。[9] 這個自由是很寬闊的，它不僅是政治自由，還有自己的個性解放。

這令青年人於工作選擇上更喜歡成為自由職業者（Freelancer），或者喜歡在某小型群組閒聊。

**趙**　這個跟「六、七〇後」正正有很大的差異。「六、七〇後」較為追求生活安穩及物質享受，不少成為了公務員。

**陶**　是的，香港人比較追求享樂主義。他們缺乏西方的「個體式」價值信念，例如去冒險、從事藝術創作、到處闖蕩等。於是在比較單調的形態遇上社會失序或工作不順後，容易變得焦慮及意志薄弱，有諷刺謂「玻璃心」。可我們要明白他們進入成人世界時不免有更多焦慮，如對上班不熟悉或自由度降低而感覺迷惘。

**趙**　我們常謂年長的人要理解青年人，正如特區政府也強調要放下「家長式」管治心態。我們年輕的時候也很討厭別人給很多的意見和管束。陶先生你小時候也會這樣？

**陶**　對！

**趙**　然年長的人是很矛盾的。如今我們有時看到青年人的工作表現及儲蓄習慣不免會對其嘮嘮叨叨。究竟我們怎樣才能夠真正走進青年人的世界，從而了解他們？

**陶**　我覺得兩個世代永遠都有一種代溝的。我們要知道青年人大多在心智上充滿湍動，有時做事時未有詳盡的思量。就自殺的問題來講，最核心的元素就是絕望感。丹麥哲學家齊克果說絕望感是一種人覺得空虛、無聊，甚至慢慢感到孤獨無援的時候產生抗拒面對自己的情況。[10] 由此觀之，自殺者除了有情緒抑鬱外，更常會因不願面對自己而猶如消費者那樣將自己消耗殆盡，如涉足吸毒、酗酒、賭博、沉迷電動等去麻醉自己。有一點很微妙的是自殺者在沾染這些不良嗜好一段時間後總會有某程度上的清醒，然清醒後自己總是感覺更為痛苦，最後再次選擇逃避。周而復始到了一個臨界點之後，就會產生一種無法再面對自己的絕望感，故選擇自殺。

不過話說回來，香港青年雖然有點先天不足（輕不著地之世界趨勢），但人性中，青年人的正義感正如八、九點鐘的太陽（毛澤東語），他們尚未進入成人世界，對公平、正義、理想總有一股衝力，總是要「打抱不平」，機緣上遇上這場社會運動，內在的理想性若「火之始燃，泉之始達」（孟子語），被壓抑的無助感，正好激起千重浪，形成波瀾壯闊的群眾活動。所以這場運動特別純粹、特別感人。

**趙**　上述分析似乎跟現在香港社會青年人的那種絕望有點不太吻合？我記得大學時期就讀哲學的藝人黃子華說過一個虛構的故事作比喻。他說二〇一四年的有一天，阿強穿著一件寫著「生於亂世」的T恤來到他家，然後他爺爺一看到就說：「生於亂世？我們跟日本人打仗的時候才叫生於亂世啊！」[11]上一代的人往往無法理解現今社會青年的行為。他們覺得絕望的社會泛指他們曾經歷的各場戰爭、大躍進、饑荒、文革等。[12]他們覺得現在的香港社會如此富足，而且大家生活也相對自由。你們年輕人有甚麼資格說絕望呢？我覺得年長的人一旦進入這種思維，你就不能夠了解青年人了。對此陶先生你會如何將年輕人的絕望解釋予那些年長的人？

**陶**　米蘭・昆德拉（Milan Kundera）的《生命中不能承受之輕》（Unbearable of Lightness of Being）說過去的人活在一個比較沉重的環境，如經歷了兩次世界大戰、民族主義的興起，或者中國經歷過的五四運動、國共內戰等。這樣令他們形成了「國家興亡、匹夫有責」的感覺。現代人有一種很特別的處境，就是在目前稍為富裕的社會裡稍為缺乏一種生活壓迫的狀態。這有一種很特別的感覺叫作「輕不著地」，或稱「生命中不能承受之輕」。[13]我有一個學生將這個名字改為「生命難頂輕飄飄」。一言以蔽之，輕飄飄的感覺就是找不到生命的必然性，如大家會想為甚麼我一定要上班、考試、遊行示威呢？這除了是哲學問題，也是一種時代的表現，就是說他找不到必然要這麼做的原因。有時候即使你是因為感覺社會有所不公平、不公義而需要表達出來，但當你發現即使行為再激進也改變不了社會後，會產生更大的情緒，感覺自己雙腳好像離開地面一樣輕飄飄的，產生了一種特別的虛無感。這當然是較文學的分析，但是籠統地也可描述到現在年輕人的那種無助感。

**趙**　最後我想問一下，為甚麼陶先生你會覺得這些青年人自殺的種類是無規範型多於利他型呢？諸如某自殺者會希望以結束生命影響他人，而這事件刺激了很多人。當然我們絕不鼓勵這樣的行為。

**陶**　利他型是比較深層的，關乎仁義的問題。舉例屈原的自盡也引起後世很多討論。[14]

**趙**　我們往往會問：他應否自殺？他的情商[15]是否較低？還是說他真的用生命來死諫？雖然他所做的事情其實是無能為力，但這是士大夫的一種慨歎。

**陶**　這種在哲學上云「不完整義務」（Incomplete Duty），就是說在消極的狀況下去表達某一種呼聲的一種過程。因應在某些歷史環境下，我們會歌頌各種歷史人物捨生取義，但這些情形其實更多是在有缺陷體制下的反動。在邏輯上，我並不同意那些自殺者的行為達致那個程度。實際上，我們未必可以對所有自殺者一概而論或一下子代入，畢竟他們心境都不同且複雜，可目前的情況確實不是需要行仁義的階段。

**趙**　我對這個問題有一個簡單的觀點。首先，現代的時代特點是資訊傳播的快速發展。相較於過去，我們現在可以透過各種媒體平台以言論和行動表達我們的訴求，而不必依賴於悲劇性的死亡事件才能引起關注。這種資訊發達的環境讓我們有更多的機會將我們的聲音傳達出去。因此，我們應該珍惜生命的可貴，保留我們的身體和能量去做更多積極的事情，而不是以犧牲生命來表達訴求。

即使在無法改變現狀的情況下，我們仍然可以通過個人的努力去改變自己的處境，以充實自己並為社會做出積極的貢獻。我常常提到一句話：「窮則獨善其身，達則兼善天下。」[16]這句話強調，無論處於貧困還是成功的狀態，我們都應該秉持良好的品德和價值觀，以個人的努力去成就自己並影響周圍的人和社會。這種積極的態度和行動不僅能夠改變自己的命運，也能為整個社會帶來積極的影響。因此，我們應該重視生命的可貴，運用我們的智慧和力量去追求正面的改變，並以積極的態度去面對和回應社會的問題。這樣才能真正實現「窮則獨善其身，達則兼善天下」的理念，為自己和他人創造更好的未來。

**陶**　我也有一個正面的訊息想分享。電影《瑪莉和修女》裡用了跟海倫．凱拉[17]差不多的例子，講述一個又聾又盲的女孩成長時表現暴躁，並不能表達自己。女孩後來遇到了一個很好但身患重病的修女。該修女基於覺得是神給予啟示要其治療好該女孩而盡力教育她。有一段是女孩很喜歡一把小刀，於是修女就想教她用小刀而用手指在其手上一直划出小刀的樣子。女孩初期一直堅持反抗，但最後當修女給予女孩小刀時，女孩子突然肯自己用手打叉划一下。到了下午的時候，女孩突然主動拿起一叉子問其一戳一戳是甚麼，修女就用手語解釋叉子的用途。女孩不斷透過摸其他東西去學習而逐漸學會表達自己，並透過觸碰凹凸的字母去學習拼音。這電影結局是該女孩跟父母重逢，並且用手觸摸別人的面孔時感覺到是甚麼人。我自己覺得甚為感動人心及勵志。

由此電影我們帶出了一個道理：人的心靈在困在肉體裡閉塞的時候是很需要溝通的。自殺者往往就是覺得封閉得不能忍受，就會使用極端行為引起大眾關注。如果他們像女孩一樣有機會可以跟別人溝通，把內心的東西宣洩出來，而大眾亦更多去了解，就會令他們重拾快樂。

**趙**　最後我再三呼籲大家不要渲染這種行為，因為一個都不能夠再多！

1 有關香港青年的年齡定義無論是官方或非官方的講法均眾說紛紜。雖然香港特別行政區政府人口普查將其定義為十五至二十四歲，然一般因應情況及政策措施其覆蓋可達致六至三十五歲不等。根據政府轄下青年事務委員會在二〇一八年三月七日（同月二十八日改組為青年發展委員會）發表的《香港青年發展策略：公眾參與報告》，青年普遍擁有以下三個特點：一、正處於接受教育的階段；二、正從求學過渡到就業；三、其個人價值觀和技能正處於積極發展的階段。見香港特別行政區政府青年事務委員會：《香港青年發展策略：公眾參與報告》（香港：香港特別行政區政府青年事務委員會，二〇一八年），頁十八。

2 艾彌爾・涂爾幹（Émile Durkheim，1858-1917）是法國猶太裔社會學家、人類學家，與卡爾・馬克思及馬克斯・韋伯並列為社會學的三大巨頭。涂氏的《自殺論：社會學的研究》（Suicide: A Study in Sociology）就是從社會學的角度分析自殺的動因及分類，見 Émile Durkheim, Suicide: A Study in Sociology, trans. John A. Spaulding and George Simpson, ed. & intro. George Simpson (London: Routledge, 2005).

3 二〇〇三年，香港爆發嚴重急性呼吸道症候群（Severe Acute Respiratory Syndrome, SARS，香港俗稱「沙士」）疫情，造成二百九十九人死亡。其時香港經濟遭到重創，每十萬人便有約十九人自殺。見 "1981-2019 Hong Kong Suicide Statistics," The Hong Kong Jockey Club Centre for Suicide Research and Prevention, The University of Hong Kong, last modified July 31, 2020, https://csrp.hku.hk/statistics/.

4 更多分析見張鳳儀、葉兆輝：〈自殺不單是個人對與錯的事〉，《明報新聞網》，二〇一九年十二月二十四日（擷取日期：二〇二一年三月八日）。

5 茉莉花革命（Jasmine Revolution）指在二〇一〇年末至二〇一一年於突尼西亞爆發的反政府示威並推倒政權的事件，因茉莉花為該國國花而得名。

6 譚嗣同（1865-1898），清末百日維新著名人物，維新四公子及「戊戌六君子」之一。一八九八年於戊戌政變中被捕並斬首。行刑前曾題詩「望門投止思張儉，忍死須臾待杜根。我自橫刀向天笑，去留肝膽兩崑崙。」

7 「借來的空間，借來的時間」（Borrowed time in a borrowed place）出自英國籍亞歐混血作家韓素音一九五九年於《生活雜誌》（Life Magazine）發表的一篇文章。有關詳細解釋見區家麟：《二十道陰影下的自由：香港新聞審查日常》（香港：中文大學出版社，二〇一七年），頁九。

8 《獅子山下》原為香港電台電視部製作實況電視劇集系列，後由於劇集及其主題曲流行全港，漸漸引申為不屈不朽、努力向上、勤懇工作的香港精神。

9 香港社會學家曾著《四代香港人》以分析各世代香港人的價值觀，後歷經各種補充。見呂大樂：《四代香港人》（香港：進一步多媒體有限公司，二〇〇七年）；孔繁強：〈四代香港人〉，《文化研究＠嶺南》（https://commons.ln.edu.hk/），第五十二期（二〇一六年）。

10 索倫・奧貝・齊克果（Søren Aabye Kierkegaard，1813-1855），丹麥神學家、哲學家及作家，一般被視為存在主義之創立者。其對絕望的看法見 Søren Aabye Kierkegaard, *The Sickness unto Death* (Princeton, New Jersey: Princeton University Press, 1941).

11 黃子華（1960-）為香港知名藝人及「棟篤笑」演員，人稱「子華神」、「棟篤笑始祖」。此段對話出自黃子華：《黃子華棟篤笑系列的第 15 輯：金盆㖫口》，二〇一八年七月六日至三十一日（二十六場），紅磡香港體育館。

12 大躍進及無產階級文化大革命均是毛澤東主政中華人民共和國期間發生的群體運動，而大躍進期間及稍後的饑荒（1958-1962）更至少造成四千五百萬人非正常死亡。此數據出自香港大學歷史系教授馮客（Frank Dikötter），讀者如有興趣可參考其兩部著作，見 Frank Dikötter, *Mao's Great Famine: The History of China's most Devastating Catastrophe*, 1958-1962 (London: Bloomsbury, 2011) 及 *The Cultural Revolution: A People's History*, 1962-1976 (London: Bloomsbury, 2017).

13 有關此書《生命中不能承受之輕》的詳細書評見陶國璋：〈輕不著地的處境〉，陶國璋的教學世界（http://taock2011.blogspot.com/），二〇一一年五月十五日（擷取日期：二〇二一年三月三日）。

14 屈原（340-278 BC）為戰國時期楚國詩人，曾創作《離騷》、《天問》等千古絕唱。他擔任大臣遭楚國朝廷投閒置散及放逐，後投入汨羅江自盡。見《史記．屈原賈生列傳》。

15 情緒商數（Emotional Quotient），簡稱 EQ 或情商。

16 出自《孟子．盡心章句上》。

17 陶氏所指為二〇一四年上映的法國傳記型電影《瑪莉和修女》（Marie's Story）；美國的海倫．凱拉（Helen Keller，臺譯：海倫．凱勒）出生時同時失明與失聰，但憑著努力及老師教導而完成大學教育及成為知名作家、社會運動家和講師。

# 陣營的對立：探討道器之爭與暴發戶、小資產階級的矛盾

**趙** 近期，一份民調數據展示了在香港社會運動中，青年一代的參與度十分高，主要集中在中學生、大學生，以及初進社會的年輕人之中。這份由獨立監察警方處理投訴委員會（監警會）委託，並由香港中文大學傳播與民意調查中心編寫的報告指出，在二〇一九年與《逃犯條例》修訂草案相關的社會運動中，青年人成為主力軍。報告的數據揭示，參與者中三十四歲或以下的比例介於四成一到九成四之間。在對青年人群進一步細分的數據中，我們可以看到二十到二十四歲以及二十五到二十九歲的人們，以及二十歲以下的中學生，都以極高的比例參與其中。而其中值得一提的是，在所有的受訪者中，有五到七成的人曾經參與過二〇一四年的佔領／雨傘運動，這在青年群體中也證實了佔領／雨傘運動的延續性。陶教授，根據你的觀察和了解，現代青年有哪些特質呢？[1]

**陶** 我跟一位身在外國的朋友用電話詳談過這個問題及目前香港的處境，其中他提到香港跟內地的歷史關係。自一九四五年後中國內地政局動盪，許多難民大量湧入香港，並把香港看成一個暫居、過渡的逃難中轉站，故有云「借來的空間，借來的時間」，如理查德．休斯（Richard Hughes）《香港：借來的地方——借來的時間》的回憶，該書的作者是一位在遠東地區為西方媒體報導新聞四十年的記者。休斯用「借來的地方」和「借來的時間」這兩個概念描繪了「英屬香港」這個全球唯一知道自身「終止期限」的社會。在這「借來的地方」生活的人，不管程度如何，都染上了一種難民的心態，內心深處滲透出對「時辰將至」這一日的恐懼和期待。

很多香港人想在香港累積財富後回鄉或移民，加上當時物資乏匱，使香港人形成「金錢至上」的觀念。在一九九七年香港回歸中國後，有些本身已經移民外地的香港人回流，同時內地的經濟持續崛起而使人開始重視消費享受。我們不妨將這兩種物質主義作對比。香港雖重視吃喝玩樂，但他受英國殖民統治帶來的歐美文化影響及有一定的富裕程度，會懂得講究品味和玩樂的興致。

**趙**　以鄧小平的說法，這叫作「小資產階級趣味」。[2]

**陶**　正是！可內地由一個意識形態主導的管治，突然自一九七八年起轉成「改革開放」

以發展市場經濟及與國際接軌，而且再於二〇〇一年加入世界貿易組織（World Trade Organization，WTO）的那種急劇「富起來」。[3]這種「暴發戶」式富裕經驗跟香港相較起來有著時間及形態差異。於是我們發現一個很有趣的現象，就是香港成年人許多見識過中國內地的社會發展後覺得它總算好起來了，故慢慢衍生一種「移情作用」，開始認同祖國及回內地旅行。至於內地出現了「暴發戶式」的物質主義，如樓房價格翻幾翻，使他跳過了一種所謂的修養及演進過程。然而，這一代香港青年人經濟條件相對較佳，但對內地人充滿敵意的根源主要是在「自由行」政策下帶來兩地文化的衝突。[4]縱使「自由行」旅客為香港帶來一定的經濟收益，然他們的行為如大聲喧嘩、拿著行李箱到處走動而碰撞到途人、「爆買」商品及日用品、在街上大小便等確實造成一定程度的擾民。[5]不少青年人對這種粗疏的物質主義及內地旅客影響市容的行徑相當憤怒，認為內地人「瘋狂」購物是在掠奪香港的資源和衝擊香港的價值觀念，故出現跟上幾代人迥異的反物質主義。[6]

另外，香港青年人的自由觀跟上幾代人有所不同。香港上幾代人都見證或親歷過內地的政治運動和社會變遷，明白專制社會裡的真實生活。如今他們雖然還有戒心，但對香港較為自由的環境相對滿足。青年人一般在自由開放及經濟富裕的環境下成長，但他們感覺在香港政經情勢轉變下這種氣氛逐漸轉變，故表現得不知所措。[7] 我在大學開學後跟學生聊天時，他們經常表達出無助、絕望、人生無目標等。我以前在思考他們的話語一般從心理層面考慮，但現在會加入文化層面，意味青年人跟內地人接觸時有一種明顯的文化隔閡，例如青年人會無私地主動幫助別人，而內地人拒絕幫助別人的原因是擔心事後會否招致麻煩。他們主動有這種思考，為前所未有的，值得我們繼續剖析。

**趙** 我想補充幾點觀點。最近我曾與一位在北京工作並與我合作過的教授朋友進行了一次深入的討論，他跟我分享了他對自由價值的看法。在香港局勢稍微不穩定時，他通過微信與我聯繫，建議我離開香港尋找其他教職機會。他甚至希望我能給他一些建議，因為他對中國的體制感到非常失望。他坦承，他的成長背景與我不同，他認為香港可能還有爭取發聲的機會，但對他來說，最重要的是「保命第一」。我總結稱之為「燙傷記憶」，就像小孩子碰到熨斗後留下的燙傷記憶，以後即使看見熨斗也會遠離。他和其他內地的知識分子們經歷了一九八九年的天安門事件，這段經歷讓他們對自由充滿渴望，但同時他們也看到中國經濟的蓬勃發展和人民生活的穩定。他們面臨著一個困境，追求自由必須付出代價，而他們更傾向於選擇接受現狀，對現實感到滿足。

第二點，內地現在的「炫富」文化其實就是一種價值真空的表現。自一九四九年以來中國內地群眾運動進行得如火如荼，不斷高舉理想主義、實現革命理念的旗幟，可到了「改革開放」以後，大家知道這些主義是名存實亡的，就是說不再討論姓資還是姓社。[8]

儘管大家都清楚賺錢的重要性，但社會卻依然在掛著某些主義的名號。從小在中國大陸長大的人，學校的教科書中充斥著這些主義的教導，然而當他們步出校門進入社會，卻體驗到了與教科書上追求公平、自由、博愛的理念截然不同的現實，那是一個充斥著爾虞我詐的世界。舉例來說，二〇一〇年河北大學前的車禍，一輛黑色轎車撞到兩名女生，甚至將她們撞飛出數米遠。在這兩名女生中，姓陳的女生經過搶救無效後不幸去世，另一名女生則身受重傷。她經過緊急治療後脫離了生命危險，並已轉院治療。然而，令人驚訝的是，肇事者口出狂言，大聲宣稱：「有本事你們告去，我爸是李剛。」[9]這句「我爸是李剛」的言語，後來在網絡上成為了人們嘲諷誰大、誰惡、誰正確的社會現實。

中國人發覺牆外和牆內是不一樣的世界，所以就有一種價值落差。很容易會產生「既然社會這麼虛偽，那我不如在虛偽的社會裡面好好享受我的生活吧！」的思想。事實上，他們就是沒有經歷成為剛才說過的「小資產階級」。[10]現在這些內地人是直接跳進了一種純粹的暴露、暴發、暴食、暴買的「四暴」階段，所以社會就變成了原始式的炫富了。

**陶**　你提出的觀點相當有洞察力。中國社會存在著兩種相互影響的現象：一方面是原始的暴發戶現象，另一方面則是強烈宣揚的民族主義。[11]這種情況使得中國國民一方面感到強大自豪，另一方面也培養了一種排外的心態。他們在海外展現購買力，甚至能夠迅速把知名百貨公司的名貴手袋一掃而空。這種「氣魄」實際上可以被視為一種報復行為，因為內地人在價值觀念空虛之後，認為炫富是展現自我價值的唯一標準。因此，在外國示威時駕著名牌跑車時，他們完全沒有意識到這種行為對他人來說顯得突兀。[12]相比之下，香港年輕人在面對這種原始式的文化差異時，雖然他們的文化程度可能並不特別高，但他們往往在香港社會運動中培養了一種對人性的靈性和理性思考的能力。

這種思考方式使得他們能夠對這種文化差異保持開放和理解。他們意識到文化差異是存在的，並不因此輕視或排斥其他文化。相反地，他們更傾向於從中尋求共通點，建立跨文化的尊重和合作。這種對人性的靈性和理性思考的能力使得他們能夠超越表面的物質追求，關注更深層的價值和社會正義，並積極參與社會運動，追求公平和平等。這些年輕人的行動和理念為我們提供了一個值得深入探討的思考方向。

**趙** 當然，我們不能夠忽略香港青年人在社會運動期間有一些很過火的挑釁行為，然這些在世界上任何社會運動也會出現打、砸、搶。[13]還好香港尚未出現趁火打劫，倒是有守望相助的行為。

1 見 Centre for Communication and Public Opinion Survey, The Chinese University of Hong Kong, *Research Report on Public Opinion during the Anti-Extradition Bill (Fugitive Offenders Bill) Movement in Hong Kong* (Hong Kong: Centre for Communication and Public Opinion Survey, The Chinese University of Hong Kong, 2020), 31-2, 38-40.。

2 「小資產階級」簡稱「小資」。中國著名政治家，前國家領導人毛澤東曾對此概念以馬克思列寧主義的角度分析，認為小資產階級包括自耕農、手工業主、小知識階層——學生界、中小學教員、小員司、小事務員、小律師，小商人等。這些人有一部分會因為不滿社會現狀而發動革命推翻政權。見毛澤東：〈中國社會各階級的分析（一九二五年十二月一日）〉，《中文馬克思主義文庫》（https://www.marxists.org/chinese/marx/index.htm），擷取日期：二〇二一年三月十二日。然在此以「小康之家」形容香港的小資產階級更為合適，皆因香港與臺灣、韓國、新加坡一樣在在「亞洲四小龍」之列，經歷了迅速發展成為先進經濟體的過程，同時產生一批對生活品味頗為重視，但也有煩惱的中產階級。二〇一一年臺灣電視劇《小資女孩向前衝》正正反映此現象。

3 二〇一〇年中國的國內生產總值（Gross Domestic Product，GDP）超越日本，成為全球第二大經濟體。中國人均 GDP 從一九七八年的一百一十五美元增長到二〇一九年的一萬二百七十六美元，達到中等偏上國家的收入水準，GDP 總量達十四．四萬億美元。

4 為挽救香港自一九九七至二〇〇三年經歷亞洲金融風暴、SARS 等造成的經濟大衰退，中國大陸與香港在二〇〇三年六月二十九日簽署《內地與港澳關於建立更緊密經貿關係的安排》。港澳個人遊（俗稱「自由行」）計畫隨即於七月二十八日開始實施，容許指定城市的內地居民辦理手續簡便的「個人旅遊（G）」簽注前往香港及澳門，期間最多可以逗留七天。

5 這種擾民現象使佔領／雨傘運動期間或以前的光復行動示威者稱內地人的購物行為作「鳩嗚」。此為普通話「購物」的粵語諧音，亦有粗口中「盲目、非理性、橫衝直撞」的含義，皆因「膠」同粗口「屎（鳩）」音近，解男性生殖器官。

6 有關世代的轉折全球亦然，見鄭宏泰、尹寶珊：《香港新青年》（香港：香港中文大學香港亞太研究所，二〇一九年），頁九—十二。

7 有關香港青年人整體成長環境分析，見鄭宏泰、尹寶珊：《香港新青年》，頁十三—二十六。

8 鄧小平曾提出名言詮釋此概念：「不管黑貓白貓，能捉到老鼠就是好貓。」

9 「我爸是李剛」事件又名河北大學「10·16」交通肇事案。主謀李啟銘（1988-，又名李一帆）醉酒駕駛期間造成一死一傷，事後逃逸。當他被抓後講出父親是保定市北市區公安局副局長李剛而引起輿論譁然，最後遭判處六年有期徒刑。見趙艷紅編：〈「我爸是李剛」案〉，《人民網——法治》（http://legal.people.com.cn/），擷取日期：二〇二一年三月十二日。

10 另外毛澤東認為孫中山資產階級革命未竟全功，其「新民主主義」理論認為中國要先走向並完成新民主主義革命，再進行無產階級革命才可以把中國完全拯救起來。見毛澤東：〈新民主主義論（一九四〇年一月）〉，《中文馬克思主義文庫》（https://www.marxists.org/chinese/index.html），擷取日期：二〇二一年三月十二日。

11 有關中國因民族主義衍生的整體外交思維戰略，見 Steve Tsang, "Party-state Realism: A Framework for Understanding China's Approach to Foreign Policy," Journal of Contemporary China 29, no. 122 (2020): 304-18, DOI:10.1080/10670564.2019.1637562.

12 見〈中國富二代超跑車隊嗆港生「窮X」父母嚇壞秒刪這些東西…〉，《自由時報》，二〇一九年八月二十一日（擷取日期：二〇二一年三月十二日）。

13 如一九一九年「五四運動」中出現了「火燒趙家樓」。見已故國際著名紅學家和歷史學家周策縱的巨作，Tse-tsung Chow, *The May Fourth Movement: Intellectual Revolution in Modern China* (Cambridge, Massachusetts; London: Harvard University Press, 1960).

# 支持與縱容：
# 深度分析建制派支持者的
# 邏輯與心理狀態

**趙** 我們今天講一些香港社會心態問題，特別是在撕裂嚴重的大時代下，了解不同陣營人士的思維至關重要。我們上回提及過一些激進抗爭者的心態後，這次想分析「藍絲」。我在研究「藍絲」的時候發現幾個現象：第一、如果你跟他們理性討論問題，他們大多充耳不聞，譬如他們經常喜歡說：「支持執法機關履行職務！」我就跟他們說自己也贊同，有人犯法或使用暴力你當然應該逮捕。然目前我們往往見到執法機關履行職務時具明顯選擇性，如對接近恐怖襲擊的舉動不予理會。實有徇私枉法之嫌。[1] 這些「藍絲」對此卻不以為然。

我認為這可能與他們的價值觀、社會背景和情感因素有關。首先，他們可能受到傳統價值觀的影響，對於執法機關的權威和正當性有著深刻的信任，無論其實際執行如何。其次，他們可能處於特定的社會環境中，與特定社交圈子密切相處，形成一種群體思維和共識，使他們對外部觀點具有抵制和排斥的傾向。最後，情感因素也可能在其中起到一定作用。他們對於政府或當權者的情感依附或認同，使得他們傾向於盲目支持和忽視一些明顯的問題。

他們的邏輯經常都不連貫，你認為原因是甚麼？

**陶**　我們在討論這個問題時，宜先從這些「藍絲」的角度出發，而不是一下子批判他們怎麼錯誤。因為這樣的話一方面他置之不理，另一方面根本是於事無補地互不理睬，長此下去製造隔閡後實無好處。[2]

在此我們可分析人的情緒反應，特別是恐懼感。「黃絲」一般對於目前香港政經形勢及社會環境表示憂慮，並對許多長時間的管治甚為不滿，故主動站出來。我的其中一位老師勞思光的著作《歷史之懲罰》說當一個政權長時間用無數謊言去統治，他會受到自我懲罰，就是因言而無信而在宣傳任何事情時得不到一些比較理性的人接受。可惜的是，這些政權的話語還是有不少人相信。[3]這種情況可以解釋為人們在恐懼和不確定的情境下尋找安全感和依靠。政權利用謊言和宣傳來控制訊息和塑造觀點，使得一部分人持續相信並支持他們。這種情況下，不同陣營的人對於政權的評價和反應也不同。在這樣的社會環境中，理性思考和批判思維變得更為重要，以便看清真相並作出明智的判斷。

相信的人一般對是非、真理不抱要求，容易對事情「選擇性聆聽」，例如說中國已經站起來、富起來、強起來了，但對於香港民主政制發展、自由等價值採取綏靖的態度，如說中央政府也有所難處，「非常時期用非常的方法」。[4]

對於所謂的「藍絲」來說，他們的恐懼源自於大量人群的街頭遊行以及少數人對執法人員的衝擊，這些行為讓他們感到社會的不穩定，進而影響了他們的安全感。因此，他們對上街的民眾產生了反感，尤其是將對執法人員的攻擊視為暴亂。這個過程可以被理解為「從恐懼到不滿，從不滿到厭惡」，甚至進一步升級到口角甚至肢體衝突。這種現象說明了人們的情緒與觀點是受到恐懼和不安感的影響，從而導致了對不同政治陣營的對立。社會中存在著各種不同的價值觀和立場，這些觀點由於每個人的個人經驗和感受而各有差異。然而，我們必須認識到這些情緒和觀點的形成，可能是受到政治、經濟和社會環境複雜因素影響的結果。

**趙** 確實，有時候即使提供了影片佐證，他們仍然以「你們這些人有事呼喚執法人員，沒事毆打執法人員」的論點來拒絕接受解釋。與此同時，我們也可以觀察到一些「藍絲」傾向於流傳假新聞和篡改圖片，而不考慮邏輯事實。這引發了我的疑問：為甚麼他們能夠將事實和客觀條件完全排除在外？他們的心理結構是如何形成的？

這個問題涉及到人們的信念形成和認知過程。我們在面對複雜的社會現象時，常常受到個人經驗、情感和價值觀的影響，這可能導致我們對事實產生偏見。在這種情況下，我們可能更容易相信符合我們現有觀點和立場的訊息，而忽視相反的證據。這種現象被稱為「認知偏差」。

在「藍絲」的情境中，他們可能受到官方宣傳、社交媒體上的偏頗訊息以及社會環境的影響，進而形成了對特定議題的固有觀點和偏見。這種觀點往往是根植於個人價值觀和認同，並通過團體認同感得到強化。當他們接觸到與自身立場相矛盾的訊息時，他們可能會選擇忽視或解釋成符合自身觀點的方式，以確認自己的信念。[5]

我的疑問就是：為甚麼他們能夠將事實以及各方面客觀的條件完全排之於外呢？究竟他們的心理結構是怎樣的呢？

**陶** 這確實是一個引人深思的議題。年輕人，由於天性中的激情和衝動，可能更容易在策略和行為上犯下錯誤，例如對「藍絲」使用粗魯的言語、動用武力，或是受到「藍絲」的挑釁而做出報復性行為。此外，他們也可能陷入某種情緒的失衡，比如有些女性示威者可能會表現出過度的激動和尖叫。然而，我想提醒所有人，特別是「藍絲」，在我們判斷對錯的時候，應該從整體的比例和規模上去考量，而非陷入「各打五十大板」的誤區或者所謂的「選擇性關注」（Selective Attention）的陷阱。

有時候，儘管我以圖文並茂、以權威新聞資料為依據的方式來解釋事情的本質，但「藍絲」可能仍會意圖將焦點轉向另一角度，甚至犯下基本的事實錯誤。這種思維模式反映了人們在面對真相時，如果選擇性地只看到部分，可能會陷入偏見，甚至將個別的暴力行為概括為全體的行為。更甚的是，他們可能會展現出一種「假中立」的態度，即只是力求表面的平衡，而不去探求背後真實的原因。這最終只會導致兩方陣營永無共識，無法進行有效的對話和理解。[6]

**趙** 我周圍不少親戚、朋友，甚至一些擁有博士學位的學者，也持有這種思維並經常散布虛假新聞。例如他們宣稱社會運動受到外國勢力干預，示威者得到金錢援助等等。這顯示出這種思維並不僅僅與學歷高低有關。此外，這些人分享虛假新聞的行為並非僅僅是在與自己意見一致的同溫層圍爐取暖，[7]更是為了滿足他們先入為主的觀點以獲取某種快感。由於他們一開始就對所謂的反政府人士抱持著厭惡情緒，所以他們有意識地選擇關注那些能夠鞏固他們內心立場的新聞。即所謂「吾即正義，爾等為邪魔妖道！」[8]

這種現象反映出人們在訊息獲取和觀點形成過程中的偏見和認知偏差。無論學歷高低，人們都容易陷入同溫層的思維，尋找與自己觀點相符的訊息，並將其視為正確和合理的。

這種行為是因為人們往往希望確認自己的立場和價值觀的正確性，同時尋求情感上的滿足和認同感。

**陶**　這類型的分析看來還能於以後從不同角度切入，以後再多談談。

1 根據獨立監察警方處理投訴委員會（監警會）委託香港中文大學傳播與民意調查中心撰寫對二〇一九年發生的與《逃犯條例》修訂草案相關的社會運動（本地及國際傳媒稱為「反修例運動、風波」，下稱運動）調查研究報告顯示，因對執法機關不滿而前往遊行示威的人士一直徘徊在八至九成。見 Centre for Communication and Public Opinion Survey, The Chinese University of Hong Kong, *Research Report on Public Opinion during the Anti-Extradition Bill (Fugitive Offenders Bill) Movement in Hong Kong* (Hong Kong: Centre for Communication and Public Opinion Survey, The Chinese University of Hong Kong, 2020), 41-5.

2 美國電腦程式設計師及部落客保羅・格拉咸（Paul Graham，臺譯：保羅・格雷厄姆）在其文章〈如何不贊同〉（How to Disagree）中認為在網絡世界中最高層次的反對就是要提出充分有力的理由和證據反駁對方觀點。見 Paul Graham, "How to Disagree (March 2008)," Paulgraham.com, http://www.paulgraham.com/disagree.html. 這種做法在現實社會中某程度上有效，然更高一層的話就要根據社會文化環境多從對方角度考量，於日本文化中為「閱讀空氣」（日文謂「空気読めない」〔Kuuki Yomenai，直譯為「不會讀空氣」〕）。

3 勞氏的觀點見勞思光：〈第十一章：言論的欺詐〉、〈第十二章：欺詐的懲罰與現代人類的苦難〉，載氏著、梁美儀編：《歷史之懲罰新編》（香港：中文大學出版社，二〇〇〇年），頁一七一－一八四、一八五－一九八。

4 此句出自香港電影《寒戰》中劉德華客串演出的保安局局長對白。

5 根據運動調查研究報告，超過八成參與者有大專學歷，較多對資訊予以分析。見 Centre for Communication and Public Opinion Survey, The Chinese University of Hong Kong, *Research Report on Public Opinion during the Anti-Extradition Bill (Fugitive Offenders Bill) Movement in Hong Kong*, 32-33.

6 此從香港近年新聞機構的自我審查可見，見區家麟：〈中立的神壇——客觀持平萬能key〉，載氏著：《二十道陰影下的自由：香港新聞審查日常》（香港：中文大學出版社，二〇一七年），頁三十三—五十四。

7 「同溫層效應」（Echo Chamber）用以形容同一個圈子的人。由於價值觀、立場和想法較為相近，相近的意見不斷重複和擴大，較少因持不同意見而產生的摩擦，使身處社群中的人感到很輕鬆自在，傾向繼續留在圈子中，接收自己「想要」的資訊。見〈【心理冷知識】同溫層效應〉，《Beginneros｜網上學習平台》（https://beginneros.com/index.php），擷取日期：二〇二一年二月二十三日。

8 有關「後真相時代」對香港社會運動中的綜觀情況、其如何影響運動的發展及得出的經驗，見李立峯：〈後真相時代的社會運動、媒體，和資訊政治：香港反修例運動的經驗〉，《中華傳播學刊》，第三十七期（二〇二〇年六月），頁三—四十一。

# 馬列史毛主義者
# 對權力的迷戀：
# 何以至死不渝？

**趙**　香港人常對於馬列史毛主義者的渴望感到困惑。我們接受的是西方的「主權在民」理念，認為權力應該由人民持有並運用。然而，這與《中華人民共和國憲法》的精神並不完全吻合。根據該憲法第一章第一條，明確規定「社會主義制度是中華人民共和國的根本制度。中國共產黨領導是中國特色社會主義最本質的特徵，禁止任何組織或者個人破壞社會主義制度。」雖然第二條聲明「中華人民共和國的一切權力屬於人民」，法律是具有強制性的行為規範，源於主權權威，違反者將受到懲罰，我們可以看出，由於「法律優位原則」的存在，第一條的規範效力實際上優於第二條，因此在實際操作上，中共的領導地位和社會主義制度的主權維護更被重視。[1]

即是說，馬列史毛主義者認為「主權在民」並不代表無限的自由和權力，而是指權力應受到憲法和法律的約束，且其行使必須為了公眾的利益。其次，馬列史毛主義者會認為即使在「一國兩制」下，中央政府仍然擁有對香港的絕對權力，包括在某些重要的政治、經濟和社會問題上的最終解釋權和決定權。這樣的格局使得香港自回歸以來的憲制發展充滿爭議。近年來，中央政府強調其擁有全面管治權，有些人卻以為似乎與「一國兩制」

下應享有的自治權產生了衝突。我們應如何理解這一問題呢？

**陶** 在討論權力、政權或民主制度的程序時，我可能不是專家，但我們可以嘗試從基本的問題出發：權力是如何產生的？

首先，我們可以從生物演化的角度來考慮。當我們仍是原始部落時，我們可能生活在分散的，自給自足的社群中。然而，當資源變得短缺時，這些部落可能會開始互相爭奪資源。在這種矛盾的過程中，生物演化可能會讓一些個體出現，他們能有效地領導他們的族群獲得資源。這些個體被生物學家稱為阿爾法男性（Alpha males）。[2]隨著領導地位的確立，部落的成員可能會給予這些領袖各種形式的報酬，如食物、禮物甚至是配偶。然而，這些領導者可能開始擔心自己的死亡，他們如何能確保自己的財富可以傳承給下一代呢？這就可能導致了一種形式的政治神話產生，即所謂的「王權」。由於領袖在現世無法解決死後的問題，故他轉而希望把這些豐厚的財富資源延續至下一代，方法就是跟不同的異性交配[3]和締造「政治神話」，如領袖本人為「天子」的、子孫是「龍的子孫」

等，促使王權的延續。[4]這種神話強調某一個血統的特殊性，使得其子孫可以繼承超過普通成員的權力和財富，並且這種權力和財富可以被繼承，形成了王朝。於是，我們可以從這一角度來理解權力的產生：權力可能是一種超越死亡的手段。

另一種理解權力產生的方式來自於列寧主義下的「無產階級先鋒隊」（Vanguard）理論。列寧接受了馬克思主義的階級鬥爭理論，並將其用於指導俄國革命。但他明白，這些理論對於大多數人來說是難以理解的。因此，他提出了無產階級先鋒隊的理念，該理念認為經過訓練和啟蒙的共產主義革命者應該帶領其他人走向共產主義社會。[5]在這一過程中，他認為領導者和先鋒隊應該掌握絕對的權力，這就導致了民主集中制和精英主義的出現。共產黨員只佔社會的一小部分，以保持其理念的純粹性，但他們卻領導著大多數人進行革命。黨內的權力鬥爭和清算被視為必要的，以維護黨的統一和純粹。[6]這種權力的理解與西方民主國家的權力轉移形成了鮮明的對比，因為在西方，政權經常會有政黨輪替，執政黨有任期限制，並需要定期接受選舉的考驗。

所以，理解權力的產生，我們需要從不同的理論和歷史角度來看，並且意識到這些視角都有其局限性。無論是生物演化論還是無產階級先鋒隊理論，都是試圖解釋權力的產生和傳承，但他們同時也都忽視了許多其他的可能性。

**趙**　我認為，共產主義在其本質上是一種財富分配的機制，這種機制需要一個強大的政治結構，這個結構有權力和軍隊來強制人們交出他們的財產以便進行分配。這也解釋了為何有人說「槍桿子裡面出政權」。一九二七年，毛澤東在湖南農村進行考察時，觀察到了農民運動的活躍。在他對中共中央的報告中，他強調了這樣一個觀點：「革命是暴動，是一個階級推翻另一個階級的激烈行動。」他主張要推翻地主的武裝，並建立農民的武裝。

在他後來於長沙的工作中，一再強調，工人和農民的武裝力量必須快速集結，不能分散，要用武力對抗反動軍隊，要用槍桿子對付槍桿子，不能再猶豫不決。針對當時中共中央在面臨緊急局勢時仍然忽視掌握軍隊的重要性，毛澤東主張如果不保留武力，將來發生事變時我們將無能為力。他認為「上山」能夠形成穩定的軍事基礎。

在一九二七年的八七會議上，毛澤東的發言中強調：「未來我們必須非常注意軍事。要知道，政權是由槍桿子中取得的。」後來，毛澤東再次總結說：「每個共產黨員都應該理解這個真理：『槍桿子裡面出政權』。」從毛澤東的觀點來看，權力和軍隊在共產主義的實施中扮演著至關重要的角色，這一點對於共產黨的理解和行動策略具有深遠的影響。在分配財富的過程中，這種力量的存在和運用，成為了推動這種社會變革的關鍵要素。[7]

此外，馬列史毛主義者由於缺乏權力交替的雙贏概念，思維往往陷入零和博弈的固化模式。為了避免自己失去財富和權力，他們必須堅定地擁抱權力並毫不妥協地推行政策，不容許任何形式的放寬。舉例來說，史太林逝世後，赫魯曉夫提出修正主義，不僅調整政策路線，更重要的是打擊與史太林一同執政的既得利益集團，[8]以鞏固自身地位。在中國，毛澤東也不會容忍出現「中國的赫魯曉夫」。[9]《人民日報》一九六七年八月二十六日刊登〈無產階級專政和叛徒中國赫魯曉夫〉一文，評論：「毛主席明確指出：『階級鬥爭並沒有結束。無產階級和資產階級之間的階級鬥爭，各派政治力量之間的階級鬥爭，無產階級和資產階級之間在意識形態方面的階級鬥爭，還是長時期的，曲折的，有時甚至是很激烈的。』『社會上還有一部分人夢想恢復資本主義制度，他們要從各個方面向工人階級進行鬥爭，包括思想方面的鬥爭。』但是，中國赫魯曉夫卻在這個關鍵時刻跳出來，公然反對毛澤東思想，放肆地宣揚『階級鬥爭熄滅』論，胡說甚麼『公私合營以後，無產階級與資產階級的主要矛盾也解決了』，『現在國內敵人已經基本上被消滅，地主階級早已消滅了，資產階級也基本上消滅了』，『階級鬥爭已經基本上結束』。」

清華大學井岡山兵團《梅花笑》戰鬥組、《1201》戰鬥組、《反修》戰鬥組馬上編製了《中國的赫魯曉夫劉少奇、鄧小平的反動言論》一書，公開地對中國的赫魯曉夫劉少奇、鄧小平進行批判。當領導人以貪污或其他藉口清除一批所謂的貪官後，他們必定會繼續執著地追求權力，以避免自身及其集團遭受毀滅性的厄運。

這種現象反映了馬列史毛主義者體制中權力的集中與權力保持的需求。為了保護自身的利益，領導人必須維持強大的權力地位，並不斷清除可能對其造成威脅的勢力。這種情況時，共產主義體制往往缺乏權力的平衡和制約機制，容易導致權力濫用、貪污腐敗以及人權侵害等問題的產生。這些觀點提醒我們思考共產主義體制的困境和局限性。雖然它在理論上追求社會的平等和公正，但實際執行中卻面臨著權力集中、權威主義以及對權力保持的需求等問題。

**陶**　對。馬列史毛主義者相信辯證法治，認為人類社會總是因矛盾形成階級鬥爭，最後只有掌握著絕對真理的人才能夠把握方向。所以他們認為自己牢牢掌握權力理所當然。共產主義這種思維本身還有兩個特點。其一、它對個體性不信任，即不相信每個人都能夠明白共產世界、馬克思政治經濟學等宏大而複雜的理想，故在對抗資本主義的強大惡勢力時需有無產階級先鋒隊帶領。我相信列寧、史太林、毛澤東皆有此想法。

**趙**　在馬列史毛主義者體制中，詞語如「先進分子」和「領導」常被使用，這是因為共產黨體制的權力結構十分集中，這些詞彙強調組織的指導地位和成員的獨特身份，進一步彰顯黨的優越性和權威性。例如，「先進分子」這一詞彙常被用於指稱那些在思想、政治、工作等方面表現出色的黨員，從而形塑了一種模範的形象和標準，鼓勵其他黨員向他們學習，同時也強化了黨的領導地位和權威。

另一方面，「領導」這一詞彙強調黨內權力的高度集中和統一，突顯黨的統治地位和權威。這種語言的使用體現了共產黨對權力的高度集中和對黨內統一意識的重視，這也是共產黨體制的一個重要特徵。

然而，在民主社會中，我們更加強調個體的平等和多元性，並更加注重公眾的參與和民主的決策過程。這種社會更重視的是個體的自由、權利和公平，並相信公眾的參與和民主的決策能夠帶來更好的社會結果。因此，我們在這種社會中使用的詞彙和詞語也會與共產黨體制有所不同，更多的是表現個體的權利、自由和平等，而不是黨的權威和指導地位。

這種在名詞用語上的差異不僅揭示了兩種體制的制度特徵，也反映了不同政治文化和價值觀念的差異。這也提醒我們在思考和反思權力運行和公眾參與的情況時，需要注意不同體制的特性和價值觀念，以便更好地理解和評價不同的政治體制。同時，這也促使我們思考如何在不同的體制下，建立一個更加開放、公正和平等的社會。

**陶**　一些人時常聲稱追求平等，然而卻強調特殊性和特權，讓人感受到明顯的矛盾。[10]在那些人的政治宣傳中，一直向人們強調領導層的英明領導，他們是服務人民的楷模，是眾人崇敬的典範。然而，那些人的行為和言辭卻常常不一致。這裡面反映了那些人對個體性的不尊重，這是他們的第二個特點。

那些人在平等的名義下，不尊重個體性，這種矛盾在那些人的體制中有深刻的體現。例如，那些人會宣稱每個人都有平等的權利和機會，但在實際上，那些人卻會賦予某些特殊的人群或身份特權，這些特權可能是在社會地位、資源分配等方面。這種特殊性和特權的存在，不僅不尊重個體性，也破壞了社會的公正和平等。

此外，那些人在宣揚領導層的英明領導和服務人民的同時，卻忽視了個體的聲音和權利。他們可能會壓制異議，不允許個體表達與領導層不同的觀點或立場。這種對個體性的不尊重，也表現在他們對權力的集中和對黨的統一意識的重視上。

因此，那些人在強調平等的同時卻不尊重個體性，這種矛盾是他們的一個顯著特點。他們的這種做法不僅揭示了他們的矛盾，也反映他們對權力、平等和個體性的理解以及操作方式。

1 見《中華人民共和國憲法》，中華人民共和國國防部（http://www.mod.gov.cn/），二〇一八年三月二十二日（擷取日期：二〇二一年三月十五日）。目前中華人民共和國（下稱「中國」）對外國的法治原則基本是否定的，習近平在二〇二一年二月的《求是》雜誌最新文章清楚表示要堅持走「中國特色社會主義法治道路」、「推進全面依法治國，決不照搬別國模式和做法，決不走西方所謂『憲政』、『三權鼎立』、『司法獨立』的路子。」見習近平：〈堅定不移走中國特色社會主義法治道路 為全面建設社會主義現代化國家提供有力法治保障〉，《求是網》（http://qstheory.cn/），二〇二一年二月二十八日（擷取日期：二〇二一年三月十五日）。

2 以色列歷史學家哈拉瑞以大猩猩的例子形容阿爾法男性（Alpha males）的產生。見 Yuval Noah Harari, *Sapiens: A Brief History of Humankind* (London: Harvill Secker, 2014), 27-8.

3 見 Yuval Noah Harari, *Sapiens: A Brief History of Humankind*, 34.

4 此說法由德國哲學家恩斯特・卡西勒（Ernst Cassirer，1874-1945）提出，解釋見 Ernst Cassirer, The Myth of the State (New Haven: Yale University Press, 1946), 3-49.

5 佛拉迪米爾・伊里奇・列寧（Vladimir Ilyich Lenin，1870-1924），原名佛拉迪米爾・伊里奇・烏里揚諾夫（Vladimir Ilyich Ulyanov），俄羅斯共產主義革命家、政治家和政治哲學理論家，曾擔任俄羅斯共和國（1917-1918）、俄羅斯蘇維埃聯邦社會主義共和國（1918-1924）及前蘇聯人民委員會主席（總理）（1922-1924）。其有關無產階級先鋒隊的觀點看 Vladimir

Lenin, *What Is To Be Done? Burning Questions of our Movement: Volume 5*, trans. Joe Fineberg and George Hanna (Moscow: Foreign Languages Publishing House, 1961), 347-530, https://www.marxists.org/archive/lenin/works/1901/witbd/.

6 例如以中華民國大陸時期、中國共產黨和中華人民共和國的重要政治家、軍事家，中國共產黨第一任中央委員會主席，中華人民共和國第一代最高領導人毛澤東為首的國內派和中國共產黨早期領導人之一，曾任中國共產黨中央委員會代理總書記王明（1904-1974）所代表的共產國際派曾經在黨的路線上產生嚴重分歧。最終王一方失勢，下場黯然。有關中共黨內鬥爭及延安整風運動，見高華：《紅太陽是怎樣升起的——延安整風運動的來龍去脈》（香港：中文大學出版社，二〇〇一年）。

7 此句見毛澤東：〈戰爭和戰略問題（一九三八年十一月六日）〉，載氏著：《毛澤東選集：第二卷》（北京：人民出版社，一九六五年），頁五三五。

8 史太林去世後，繼任的尼基塔．謝爾蓋耶維奇．赫魯曉夫（Nikita Sergeyevich Khrushchev，1894-1971，臺譯：赫魯雪夫）隨即提倡修正主義，並發動批判史太林的行動。見 Robert Service, Comrades: Comrades: Communism: A World History (London: Macmillan, 2007), 308-16.

9 「中國的赫魯曉夫」為毛澤東於無產階級文化大革命期間對中國共產黨和中華人民共和國的

主要領導人之一劉少奇走修正主義路線，乖離革命的批判。

10 正如作家佐治・奧維爾在《動物農莊》（Animal Farm）的名言說：「所有動物一律平等，但一些動物比其他動物更加平等。」（All animals are equal, but some animals are more equal than others.）

# 知識分子和教師
# 如何面對抗爭？
# 釐清「告別革命論」
# 與年輕人對「和理非」
# 的誤解

**趙**　身為教師，我們在學生涉足社會運動的情況下，常常會處於微妙的立場。一方面，學生會援引五四運動或法國大革命等歷史事件，[1]質疑我們為何選擇坐視不參與，畢竟這些運動中的知識分子都以其無所畏懼的態度赴湯蹈火，為社會變革付出行動。例如一九一九年五四運動，國人對於巴黎和會的結果深感憤慨，進一步得知段祺瑞政府與日本的秘密協議，激起了更大的公憤。學生群體於天安門前大規模集會，並遊行至使館區提出公平訴求，但被軍警阻撓而轉向激進行動，即歷史上所稱的「五四事件」。[2]

然而，在當時的情況下，北京大學校長蔡元培並未置身事外。他不僅參加了學生的救援大會，也與其他學校的校長一同商討如何釋放被捕學生，甚至親自向教育部和警察廳提出要求。學生被釋放後，他帶領師生親自歡迎並慰勉他們。

然而，這種行為另一方面也引來了一些「藍絲」的質疑，他們認為教師不應在網絡或教室中煽動學生反對政府或社會。在當前的社會環境下，我們作為教師的角色與責任應該如何確定？我們是否只應該專注於傳授知識，還是也應該指導學生思考並參與到社會議題的討論中？這些都是我們必須深思熟慮的問題。在這個大時代下，老師的角色和責任應當如何？

**陶** 這一點我也感觸甚多。有位朋友問我：「為甚麼這些老師不像以前蔡元培在『五四運動』學生被人抓捕時跑去示威，甚至要求放人？」[3] 其一、當今的老師和學生相比以前缺乏組織和溝通。我身在的哲學系嘗試過找學生傾談了解他們的情況，但發覺較難聚在一起。其二、我認為大學及中學教員對於社會運動的立場都是「和理非非」，鼓勵用非暴力的和平方式如遊行示威表達訴求。[4] 有時候我們會以同情的心態看待學生的行為，而發聲或主動支持則甚少。就我而言，社會運動應以非暴力為主。一七八九年法國大革命爆發及其以後的發展歷程正是給予後世很大的教訓，因有階段性成果後社會反而進入一個「暴民階段」，包括建制力量與新興力量的長久對抗。[5]

**趙** 當中以打倒專制為口號，以律師及知識分子為骨幹的雅各賓黨（Jacobin Club）執政後，實行了新一輪的暴政。[6]

**陶**　雅各賓集團倒台後，法國社會在君主制和共和制間兜兜轉轉直到一八七一年法蘭西第三共和國（The French Third Republic）的成立。[7]這裡的教訓是革命運動如過度狂熱，其實會遭遇一個相當大的鐘擺過程。法國革命運動衍生不少暴力和仇恨，最終使社會產生撕裂，並用了無數時間修復。我們挺恐懼香港的情況會如法國的歷史經驗一樣需長時間修復撕裂。

**趙**　這正是我們在二十世紀八〇年代看到的中國知識分子所倡導的「告別革命論」。這一理論對孫中山先生的革命精神給予高度肯定，然而，他們同時指出，孫中山先生選擇的暴力革命途徑，並非歷史發展的唯一途徑，也無法稱之為唯一的絕對模式。他們認為，康梁與立憲派所選擇的改革路徑，並非一條毫無出路的道路，也並非歷史的「死胡同」。這一觀點不僅在國內引起了廣泛的關注，也在海外引起了極大的響應。對於這一新的主張，社會的反應多元而激烈，批評和讚揚的聲音皆如潮水般湧出。[8]

中國過去的一百多年常常把革命浪漫化，如毛澤東疾呼「天天鬥、年年鬥、月月鬥」，謂透過不斷地革命令社會轉變。[9]告別革命論者認為革命未必能夠帶來社會穩定和發展，譬如說一九一一年的辛亥革命以後中國人的生活雖然不用行跪禮和留辮子，可是因各方面的戰亂影響民生，故有機會活得比滿清皇朝的中國人還差。同樣，這理論也暗示縱使一九四九年以後中國共產革命成功，但人們隨即經歷各種政治群眾運動如大躍進、無產階級文化大革命等，使民眾生活遠遠比國民黨執政的時代痛苦。所以「告別革命」慢慢成為了中國人心中的一種主流思想，用意是希望政府和社會適度改良，慢慢進步。這個概念成為目前一些「藍絲」的心態，原因是他們年輕的時候或許跟父輩一樣在社會動亂中度過，明白其中帶來的痛苦。種種深刻烙印令他們寧願活在今下、追求安穩和恐懼社會急劇轉變。

**陶**　分析相當精闢！「藍絲」要求維穩也有其情有可原的地方，只是我們要小心姑息養奸的問題。印度聖雄甘地使用非暴力不合作的溫和社會運動模式去對抗強大的英國統治者，其因由是他受托爾斯泰的著作及溝通思想影響。[10]列夫．托爾斯泰，這位以巨著《戰爭與和平》享譽文學界的大師，同時也是一位堅定不移的和平主義者。他在與甘地的書信往來中，清晰地提出，不論是追求和平、民主還是自由的社會運動，其真正的根基都必須是愛。[11]這種深深植根於基督教教義的觀念，對甘地產生了深遠的影響，並在其後來的非暴力抗爭運動中得到了生動的體現。

托爾斯泰的哲學思想豐富而獨特，他既對現實進行了鋒利的批判，又熱情地倡導悔過、救贖靈魂、禁慾主義以及非暴力反抗邪惡等道德自我完善的理念。這些理念集結為一種個人宗教觀，以愛為其核心理念，人們將其稱之為「托爾斯泰主義」。

換句話說，托爾斯泰主義主張通過道德自我完善以達到非暴力反抗邪惡的目的，並將博愛視為人類間應有的相互關係的基石。這些理念不僅為當時的社會運動提供了精神支持，同時也對後世的和平運動產生了深遠影響。我們要明白每個人都有很多方式去對抗一個不合理的政權，但大家追求更民主、更公義的政治體制，目的是甚麼？就是倡導人與人之間互相尊重和包容。所以「和理非非」模式放諸今天仍有它的意義，並比使用暴力抗爭好。

**趙** 然而，我們應當注意到，當前的青年經常提到甘地對抗的是一個民主體制的英國。在一個民主體制中，政府的行為常常受到國內輿論、新聞自由和選舉的監督，因此它們不會輕易使用暴力去鎮壓示威者。然而，如果青年人面對的是一個習慣使用暴力和廣泛監控的專制政權，「和理非非」手段可能並不會產生效果。在這種情況下，他們可能會選擇尋找其他的對策，如進行武裝反抗。我們需要理解，面對不同的政體和情況，可能需要不同的抗爭手段和策略。並且，這並不意味著放棄尋求和平解決問題的方式，而是為了在特定的情境下保護自身的權益。

**陶** 此論述實有不少修正補足之處：首先，青年人進行暴力抗爭時，可能對現實情況的評估不夠全面，有時可能變成「以卵擊石」的情況。其次，青年人在這裡可能過度簡化了歷史。例如，英國政府在面對抗議時，也曾出動機關槍射殺平民。這些歷史的盲點需要被闡明並修正。第三，我們需要記住，在管治哲學上，「行動—反應」的模式是一直存在的，如果抗議者使用非暴力抗爭，對方也往往會選擇更和平的方式來處理問題。[12]

另外，當前社會存在一種現象，即對他人苛刻，對自己寬容，批評多於理解。香港的許多人，不論政治立場如何，對許多社會問題感到不滿，如無法購得住房、世代間的矛盾、社會問題等，最終導致對世界的極度失望。就像蕭若元先生曾指出，儘管香港的情況並未嚴重到人民無法謀生或者有秘密逮捕、強制網絡中斷等狀況，但許多人已經將現在的情況視為極限，對未來感到絕望。這反映出我們的韌性不足。我在自己的節目《哲學五厘米》中討論過絕望和存在主義的問題，因為我發現現代青年人容易把自己看成不幸的受害者，感到前路困難重重。但實際上，香港仍有許多問題可以解決，仍有許多可能性值得我們去探索和努力。[13]

**趙**　香港人目前的經濟並不像生活在極度困難或完全失去自由的境地，但年輕人普遍認為我們的自由正在逐步受到侵蝕，與過去相比已經有所減少。因此，一些年輕人出於對未來的擔憂而站出來捍衛香港的本土價值觀。然而，一些中老年人可能無法理解這些年輕人為何無故地搞亂社會，因為他們認為自己的生活還算不錯。我完全理解人們對於保護自由的考慮。正如俗話所說「人無遠慮，必有近憂」，我們看到近二十年來的政治環境似乎一直在倒退。有些人錯誤地認為在港英時代是沒有遊行示威的，但事實上，金禧事件、中文運動和保釣運動等都有很多知識分子、學生和社會人士挺身而出參與。年輕人看到某些人歪曲歷史事實，混淆是非黑白，感到非常憤怒。他們希望正確看待香港的歷史，捍衛自由和正義。[14] 有些青年人認為看到某些人士顛倒歷史事實，歪曲是非黑白的行徑，感到非常憤怒。

另一邊廂，我想重新再詢問一開始提及有關教師的責任問題。有的「藍絲」說教師利用通識教育課鼓動學生參與社會運動去搞亂社會，實在是誤人子弟。[15] 陶先生你覺得教師在政治上應該是保持中立緘默，還是說應該像蔡元培、陳獨秀、胡適、傅斯年等學術巨人般主動支持學生的行動呢？[16]

**陶**　這個問題不是這麼容易回答的。如果我們以分析思考的方式來看待，我們會發現先前的論點——認為通識教育科教壞了學生——過於籠統且草率。通識教育科確實提供了一個讓學生批判性思考的平台，但這並不代表它導致了學生的敗壞，或者應該完全否定這一科目的價值。另一方面，歷史並不能完全重演，我們不能將今日的情況與五四運動的時代等量齊觀。

實際上，我們需要從整體香港社會的角度來看待這個問題，包括香港人的綜合素質、心態、社會階層等因素。只有這樣，我們才能更好地找出一條解決目前困境或提出更有效策略的道路。在這個過程中，通識教育科只是其中的一個部分，我們不能只看到樹木，而忽視了森林。所以，在評價任何事物或現象時，我們都需要有全面和深入的理解，而不是只停留在表面的認識。

1 法國大革命時期（1789-1799）是法國歷史上的一場重大變革期。由於民眾生活困苦，國家連年征戰導致財政入不敷支等因素。法國平民於一七八九年起發動革命並短暫推翻王權，建立法蘭西第一共和國（The First French Republic）直到拿破崙．波拿巴（Napoléon Bonaparte，稱帝後稱拿破崙一世〔Napoléon I〕）當政。讀者如有興趣，可參閱 William Doyle, *The Oxford History of the French Revolution* (Oxford: Oxford University Press, 1989).

2 五四運動為一九一九年五月四日起發生於北京的中國近代重要學生運動。當時學生不滿抗議巴黎和會上有關山東的決議和中國政府的意圖妥協簽約而受民族主義情緒影響發起示威，高喊「外爭主權，內除國賊」的口號。後來運動演變成火燒趙家樓、痛打章宗祥、全國罷工、罷市。最終逼使北洋政府的巴黎和會中國代表團拒絕在《凡爾賽和約》上簽署。已故國際著名紅學家和歷史學家周策縱（1916-2007）對中國五四運動有詳盡研究，並提出中國於五四運動時提出以「救亡代替啟蒙」並非恰當做法。見其巨作 Tse-tsung Chow, *The May Fourth Movement: Intellectual Revolution in Modern China* (Cambridge, Massachusetts; London: Harvard University Press, 1960).

3 蔡元培（1868-1940），中國近代革命家、教育家、政治家。一九一六年至一九二七年任北京大學校長。當其校學生在五四運動中遭逮捕時，他挺身而出為學生奔走，要求政府釋放學生。最終北洋政府在受到多方壓力下答允釋放學生。

4 「和理非非」即和平、理性、非暴力、非粗口。最早由前香港民主黨主席、前香港立法會議員劉慧卿在二〇一〇年提出此四個概念作為發起社會運動的核心價值，然後來受到一定爭議。見 Kathy：〈「和理非非」抗爭的符號及其在未來香港民主路線影響〉，《立場新聞》，二〇一六年一月十三日（擷取日期：二〇二一年三月二十二日）。

5 此形成了現代民主政治中左派（激進派，法國當時的新興力量）和右派（保守派，法國當時的建制力量）之分。

6 雅各賓黨當政時實行恐怖統治（Reign of Terror），大量處決「革命的敵人」。最終其在一七九四年熱月政變（The Coup d'état of 9 Thermidor）中遭推翻。

7 一八七〇年拿破崙三世（Napoléon III）在普法戰爭被俘，其法蘭西第二帝國（Second French Empire）倒台。法國經歷短暫震盪如巴黎公社運動興亡後，逐漸確立以共和制為其政治制度至今。

8 此論述的代表人物為李澤厚（1930-2021），見李澤厚、劉再復：《告別革命：李澤厚劉再復對話錄》（香港：天地圖書有限公司，二〇一一年）。

9 有關毛澤東不斷革命的思想文獻，見毛澤東：〈矛盾論（一九三七年八月）〉，《中文馬克思主義文庫》（https://www.marxists.org/chinese/index.html），擷取日期：二〇二一年三月二十二日。

10 列夫・尼古拉耶維奇・托爾斯泰（Lev Nikolayevich Tolstoy，1828-1910），俄國小說家、哲

學家、政治思想家，也是非暴力的基督教無政府主義者和教育改革家。

11 有關他們的書信紀錄，見甘地、托爾斯泰、愛因斯坦（Albert Einstein，1879-1955）、佛洛伊德（Sigmund Freud，1856-1939）合著，彭嘉琪、林子揚譯：《智者與仁者的交會——托爾斯泰與甘地談自由，愛因斯坦與佛洛伊德論戰爭》（臺北：八旗文化，二〇一八年）。

12 英國在印度民族起義（1857-1858）中曾以軍事行動大舉鎮壓抗爭者。劍橋大學邱吉爾學院（Churchill College, Cambridge）後殖民研究教授普里揚巴達．戈帕爾（Priyamvada Gopal）的最新研究中發現英國在殖民地的不同叛亂中縱使仍會進行武力鎮壓，然在每次叛亂後會累積經驗及檢討管治問題。國內的反殖民主義者或身在英國的原殖民地人士會予以發聲以要求英國政府節制其行為。另一邊廂，身處殖民地的人士也會吸收歐美的啟蒙運動中的自由、民主價值去爭取獨立。作者特別指出這些互動協助大英帝國或其解體後的英國樹立新的價值觀至今，故我們需要放棄盲目反對或支持帝國時期帶來的影響。見 Priyamvada Gopal, *Insurgent Empire: Anticolonial Resistance and British Dissent* (London: Verso, 2019).

13 中大賽馬會公共衛生及基層醫療學院助理教授黎可欣的研究發現，近九成高中生不信任政府，而受訪的高中生在有關認為青少年有分參與政策程度的問題，十分滿分中只有二．六六分。她建議成立「青年鄰社網絡平台」，鼓勵不同持分者與青年溝通，並在最後讓青少年感覺自己獲充權，或經自己建議後得到可見成果放諸社區。見〈九成高中生不信政府 學者：關係已爛 指年輕人被視為「要解決的問題」 倡設平台共建社區〉，《明報》，二〇二一年一月十八日，頁 A05。

14 金禧事件是香港於一九七〇年代末發生的一次社會運動，主因為不滿何文田金禧中學（現德蘭中學）出現管理層貪污斂財、學校財政混亂等事件，最後以香港政府介入調查作結。當時已故民主派人士、香港教育專業人員協會首任會長司徒華（1931-2011）積極帶領運動反映當時的學校管理漏洞；中文運動為一九六〇年代末期起社會人士爭取中文為法定語言的運動，令政府於一九七四年立法通過中文與英文享有同等法律地位；保釣運動是中國大陸、香港、臺灣為了回應日本宣稱擁有釣魚島主權所發起的一系列民間運動，至今仍在進行。香港不少社運人士曾參加此運動，更有陳毓祥（1950-1996）在運動進行期間於釣魚島海域遇溺去世。

15 教育局在二〇二一年宣布通識教育科將會重整架構，簡化內容以回應訴求。見教育局：〈教育局通函第 20/2021 號：優化高中四個核心科目——為學生創造空間和照顧學生多樣性：學校問卷調查及學校簡介會〉，二〇二一年二月二日（擷取日期：二〇二一年三月二十二日）。有關早年通識教育科的爭議。見香港電台：〈鏗鏘集：通識中的政治〉，RTHK 香港電台 Podcast One（https://podcast.rthk.hk/podcast/），二〇一五年一月十二日（擷取日期：二〇二一年三月二十二日）。

16 陳獨秀（1879-1942），中國近現代的思想家、政治活動家、語言學家，中國共產黨主要創始人之一及首任總書記，新文化運動發起人之一；傅斯年（1896-1950），歷史學家、學術領導人、五四運動學生領袖之一、中央研究院歷史語言研究所創辦者。曾任國立北京大學代理校長、國立臺灣大學校長。

為何支持執法者的集會
更「勇武」？
他們是受害者還是加害者？
理解絕望的青年
以解香港困局

**趙**　今天，我想深入探討香港的社會問題。在這個議題上，我們無法忽視香港人的價值信念在其中所扮演的角色。在你看來，香港人普遍的價值信念是甚麼呢？他們的價值信念又如何影響社會問題的形成與發展？

**陶**　我們先定義何謂價值信念。價值信念指的是一個人的生活觀和世界觀，是我們對事物的對錯、輕重的判斷。每個人在成長的過程中都會形成各自的價值信念，這在所難免地導致各種衝突。在過去，香港人有著各自不同的價值信念，但是在一個穩定且包容多元、允許百家學說並行的社會體制下，這些衝突並未像現在這樣引發巨大的群體對立。

我們現在面臨的是一個龐大的挑戰，涉及到香港的政經環境，需要社會的各個階層一同面對。在受到這種威脅的時候，生物學上有一種理論稱為「群體認同」，即人們會聚集在一起來對抗外部壓力以求生存。

史丹福大學著名的囚犯實驗（Stanford Prison Experiment）對此有著深刻的揭示。在這個實驗中，學生被分為兩組，分別被給予獄卒和囚犯的角色。結果顯示，扮演獄卒的學生變得嚴苛和殘暴，對待囚犯的行為越來越惡劣，證明人的行為在很大程度上會受到其所處的社會角色的影響。[1]

**趙**　這個我可以補充一下。我在二〇〇六年時候寫了一篇論文，講述東史郎日記和以戲劇作歷史教育的關係。我當時做了一個實驗，就是要求一些學生模仿日軍，另一批則模仿被殺害的老百姓。他們綵排戲劇數月後，我問模仿日軍的學生：「如果你真的上戰場的話，會有怎樣的行為？」學生答：「殺光他們！」這正是從歷史教育裡反映人倘受到社會氣氛及政府的宣傳機器長期洗腦（Brainwashing），大有可能做出反常行為。[2]正如孟子常曰人性本善，然「牛山之木嘗美矣，以其郊於大國也，斧斤伐之，可以為美乎？是其日夜之所息，雨露之所潤，非無萌櫱之生焉，牛羊又從而牧之，是以若彼濯濯也。人見其濯濯也，以為未嘗有材焉，此豈山之性也哉？雖存乎人者，豈無仁義之心哉？其所以放其良心者，亦猶斧斤之於木也，旦旦而伐之，可以為美乎？……」就是說你是不斷地受到環境的影響而最後改變了自己。我們現在看到一些人長期進行備受爭議的行為，但他們卻不以為然，正是因為他們受上述的洗腦影響而把自己的行為視之合理所致。

這也呼應了孟子的觀點，他主張人性本善，但受到外在環境和社會氛圍的影響後，人們的行為可能發生變化。當政府和社會長期進行宣傳和洗腦，塑造特定的意識形態和價值觀，人們可能因此認同並執行與其原本價值觀不符的行為。這種洗腦現象在歷史上多有出現，例如極權政權利用宣傳機器操縱民眾的思想和行為，使他們盲目支持暴力和壓迫。這種情況對於社會的自由和公正帶來嚴重的負面影響，並使人們難以自主思考和行動。

**陶**　這還有一個分析。人們常常會根據自己的職業來定義自己的身份，但我認為這並不準確。例如，一位在高級餐廳工作的服務員可能需要展現專業和高雅的形象，但這並不一定代表他真實的個性或身份。事實上，一個人的身份有多種面向，例如，他可能是別人的父親、是一個香港人，或者是一個認同中國文化的人，也可能是一位職業演員。我們為甚麼非要通過一個職業來定義我們的身份呢？這是一個值得深入思考的問題。[3]

**趙** 這其實與馬克思的觀點有一定的相似之處，他提出「階級決定立場」的論述，背後的理論便是「利益決定態度」。這種看法是以人們的經濟地位來解釋其行為和觀點的。然而，我們不應忘記，人的身份和立場並不僅僅由其經濟地位或職業來決定，還受到許多其他因素的影響，包括他的文化背景、教育經驗、家庭關係等。我們應該從更全面的視角來看待人的身份和行為。

**陶** 由此我們試試分析香港人不同的價值信念形態。

第一類：維穩形態。這類形態的人士大多為五十歲以上，經歷從中國內地逃難到香港，同時目睹中國內地政治演變而首先形成逃亡形態。他們本希望暫居香港後回鄉落葉歸根或到外國生活，對香港沒有一個很強的歸屬感。後來他們發覺移民已經不是一個出路了，並認為中國的崛起勢不可擋，於是成為維穩派。

第二類：成長形態。香港青年人大多擁抱此價值觀，希望生活多姿多彩。同時暗含反叛性格而不平則鳴，受壓迫則反抗。[4]

第三類：關愛形態。這些人大多有宗教信仰，如牧師、教會義工等，希望透過靈性修養安頓生活。

第四類：成就形態。這類人獲公認為積極上進的成功人士，具有強烈的精英主義心態，如銀行家、律師、醫生、工程師等。這批人中更有些通過政治關係的捷徑獲取利益，形成縱橫交錯的建制網絡。

第五類：冒險形態。相較歐美人士喜歡征服高山極地而言，香港人大多不尚此風氣，故此類人士不多。

第六類：藝術形態。香港在此方面也是較弱，皆因我們有某些藝術興趣，但缺少藝術薰陶的氣氛。[5]

第七類：環保形態。這些人在香港也是有的，比較重視綠色生活。

從以上所見，香港社會的形態是很多元的。

**趙** 我覺得爬山的問題跟中國文化也有關係。歐美文化崇尚征服者，如歐美爬山人士成功登頂後會把旗子插在該處，並可能寫上「I'm the king of the world」（我是世界之王）及留個名字。中國文化則不然，因登山屬於雅俗共賞、眾人同樂的行為，諸如陶淵明、歐陽修也是如此。歐陽修會吟唱「環滁皆山也。其西南諸峰，林壑尤美，望之蔚然而深秀者，瑯琊也。山行六七里，漸聞水聲潺潺，而瀉出於兩峰之間者，釀泉也。峰迴路轉，有亭翼然，臨於泉上者，醉翁亭也。……」[6]，而不會插一支旗子在山頂說：「I'm the king of the 徐州！」中國文化傳統上用欣賞的態度看待萬物，而歐美則以征服為綱。香港的建制派大多推崇中國文化，故會受此影響。比如我在網上分享一些中國社會的負面問題希望引起眾人反省，就會立刻有一些立場偏向建制派的網友說：「你只談中華大地有多壞，為何不欣賞它的美？」這些建制派人士其實也是用一種比較欣賞的態度去看待他們既得的建制系統，嘗試「隱惡揚善」。

**陶**　當一個大的議題遭逢巨大挑戰，不同群體要作出回應時往往會各自聚眾成一力量，以提防其他的利益被別人侵佔。我們看到某些由執法者組成的團體認為自己擁有雙重身份：既是受害者，也是法官。一方面他們認為自己遭不管法律的人衝擊，另一方面他們又自認在維護法紀，覺得某些所謂暴徒肯定是違法，而我們是依法辦事。我不否認法治的重要性，但我建議他們看香港電台電視部製作的《五夜講場》的其中一集〈法治已死〉。前立法會議員、資深大律師吳靄儀博士和幾位律師提出一個很重心的觀念使我恍然大悟：「法治精神跟依法辦事是不同的！」[7]就是說你自以為執法者為正義時，其實你忘了自己為置身於特定體制下的執法者，如果這個體制倒下的話，這個執法者可以變成暴政的工具。若果這些執法者繼續執迷不悟時，會衍生兩大問題：一、你視執法者為終生志業，但你其實也是一個普通香港人、有信仰的人、想當好爸爸等，所以你不一定要全盤認同團體中所有行為。二、你未能進入香港人的整體裡，只能在狹窄的利益團體中圍爐取暖。

**趙** 無論在執法者或者支持執法者的示威集會裡面都有一個很怪異的現象。一方面說我們要維護法治，但同時間又做出與之相異的行為。法律是保障犯罪者有自身的權利，如你制服了他之後就不能夠再施予暴力，就算他是拉登、卡達菲也要留給法庭公正裁決。[8]目前我們看到有部分的人是借法治之名，行犯法之實。實在是雙重矛盾啊！

**陶** 是的。這其實是高度不安全感的一種反射。古代社會動蕩時，有一些武人先天上較為衝動，與讀書人迥異。我們對這種情況感到同情，因為一旦你能夠詳細解釋給他們聽，他們也會被說服。然而，一些擁有權力的人只懂得使用武力，而不願意進行理性的討論，這就形成了報復心理。回想起來，我非常贊同蕭若元先生呼籲我們不要將執法者視為對立的力量，而是應該盡可能地包容他們。當然，這種包容不是指容忍他們違法行為，而是認識到執法者中總有一些人對他們團隊的整體行為表示不滿，所以我們不應將他們逼迫成必須反抗的對象。我們應該努力建立一個能夠容納各種聲音和觀點的社會。

就「藍絲」的理念而言，他們現在認為「穩定壓倒一切」，乃是因為覺得社會現在正是難得地穩定和繁榮。我們未必贊成他們的主張，但理解他們背後的思路。這些「藍絲」覺得中國經歷「百年羞辱」[9]後能夠強起來，成為世界第二大經濟體及樹立民族尊嚴。他們這些自豪感代替了很多常理判斷。這些就是我經常喜歡講人當年齡漸長而到了某一階段時，那種落葉歸根的心態令他容易對事情「姑息養奸」。這值得「藍絲」警惕。

青年人方面，強調自我為主的價值信念。另一方面，他們的確有自己的品味和興致。總括來講，他們最重要的價值信念就是自由。這個自由未必是政治自由，而是懼怕遭限制及失去原有活動模式的廣義本土心態。[10]目前我們看到香港社會遇到共同挑戰時，這些價值信念跳了出來並交織在一起，形成衝突。香港的大撕裂危機則難以避免。

1 有關此實驗的著作，見 "Stanford Prison Experiment: A Simulation Study on the Psychology of Imprisonment," Official Stanford Prison Experiment Website, accessed March 28, 2021, https://www.prisonexp.org/.

2 趙氏之文章見趙善軒：〈戲劇與中學中國歷史教學——以《東史郎日記》為例〉（合著），宣讀於香港樹仁學院歷史系、香港浸會大學歷史系與香港中國近代史學會合辦「廿一世紀華人社會的歷史教育研討會」二〇〇六年六月八日至九日於香港浸會大學。

3 前香港小姐冠軍、禮儀顧問張瑪莉女士及前香港演藝人協會秘書長、藝人陳芷菁女士有關儀態訓練課堂，兩人均認為若要學好出外交流時展現的良好儀態，必須從生活做起。然我們必須明白許多時候在官方場合展現的儀態往往只是逢場作戲，畢竟人不能永遠帶著面具出門。

4 有關香港青年的性格剖析，見鄭宏泰、尹寶珊：《香港新青年》（香港：香港中文大學香港亞太研究所，二〇一九年），頁十三－二十七。

5 有學者謂藝術科技（Art Tech）的發展可能扭轉此情況，見馮應謙：〈藝術科技融入生活 培育人才提升素養〉，《信報財經新聞》，二〇二一年二月二十六日，頁 A22。

6 此句出自〈醉翁亭記〉。見歐陽修：《古文觀止——醉翁亭記》，香港電台官方網頁（https://www.rthk.hk/），擷取日期：二〇二一年三月二十八日。

7 香港電台：〈五夜講場——學人串社科 2019：法治已死？〉，RTHK 香港電台 Podcast One

（https://podcast.rthk.hk/podcast/），擷取日期：二〇二一年三月二十八日。

8 奧薩瑪·賓·拉登（Osama bin Laden，1957-2011），已故世界恐怖主義組織之一阿蓋達組織（Al-Qaeda）首領。

9 「百年恥辱」一般指中國自一八三九年鴉片戰爭起遭受外國列強欺負的歲月。

10 馮應謙及鄧鍵一進一步使用「錯軌」（Displacement）、「錯置」（Dislocation）、「離根化」（Disembedding）梳理香港青年與社會的張力及其影響。見馮應謙、鄧鍵一：〈青年與社會轉變〉，載張妙清、趙永佳編：《香港特區二十年》（香港：香港中文大學香港亞太研究所，二〇一七年），頁四八七—四九九。

# 黃藍之爭與思考方法

# 一、從杜汶澤與陳百祥的辯論學習拆解謬誤

**趙**　本星期香港電台某節目邀請兩名知名藝人杜汶澤和陳百祥激辯香港時局，引起城中熱話。[1]我曾在自己的影片運用思考方法學（下稱「思方學」）點評其時情況，獲得不少迴響。[2]陶先生你對於兩人的辯論可有高見？

**陶**　我們先釐清一些基本知識。其實思方學在許多英、美等知名大學裡為本科生必修基礎課，用意乃是讓學生在討論或梳理事實時予以批判性檢查（Critical Examination），透過獨立、客觀、理性的態度明辨是非，其和批評不同。[3]就那次辯論而言，我們並不會對它作情緒反應，而是借它作教材去了解當中隱含的謬誤及詭辯。思方學跟邏輯有些微不同。邏輯是我們人類基本思維的一些律則。亞里士多德云：「所有人都需要用邏輯思考的。」他設計一個簡單論證：如你贊成邏輯，必先運用邏輯論證。如你反對邏輯，則也要用邏輯說明其因。故姑勿論你取態如何，其實你已經正在運用邏輯。[4]另一例子是你在下一盤中國象棋時，會遵守馬走日、象走田、小卒一步步走等規則，而這些規則

是潛伏在這盤棋的運作，正如邏輯潛伏於人的思維一樣。當然有關這些規律究竟是先天而成還是後天培養千百年來爭議不斷。至於思方學就是運用理性、邏輯去判別事情。思方學之始貴乎理性，那理性該如何判準？李天命先生說理性是一種無須詢問的能力。當你在思考的時候，你在推敲前文後理或引證事情中會明白自己在運用理性能力。只要你放下個人情緒去海納百川及接受思維錯誤，就會展現理性思維中的自省。[5]

**趙**　了解。然很多人會質疑吾之理性非汝之也，質疑「我的理性」和「你的理性」可能不一致，諸如杜、陳兩人曰之理性迥異。那麼怎樣才是一個客觀標準的理性呢？

**陶**　我們可以將這個問題分解為幾個層次來看待。基本上，每個人的理性邏輯應該是一致的。我們可以用「同一律」這個基本邏輯規則作為例子：一個杯子就是一個杯子，自身等同於自身（A=A）。如果你否認這個杯子是一個杯子，那麼就產生了自我否定的情況（Self-defeating）。另外一個基本邏輯規則是「非矛盾律」。矛盾即是指你同時肯定與否定一件事，比如你說「我是人」與「我不是人」（A=A AND A≠A）同時存在。一旦語言存在矛盾，我們就無法有效地傳達訊息。[6]

**趙** 我想在此補充兩點。首先，許多人常常混淆了邏輯與常理。例如，當看電視劇時，有人會說：「這個醫生竟然和如此不吸引人的對象結婚，完全不符合邏輯！」[7] 其實，這種情況只是不符合人們對事情的一般期望，與邏輯並無關係。其次，文學中的語句常常會運用矛盾律作為修辭手段。如英國文豪查爾斯．狄更斯在《雙城記》中的名句：「這是最好的時代，也是最壞的時代。」("It was the best of times, it was the worst of times.")[8] 但當然，如果這句話作為一種理性的論證，則是無法成立的。

**陶** 在進行辯論時，我們必須注意兩點基本要素。首先，辯論中的推理必須保持一致性。這裡的一致性是指你的推論必須從先前的論述中進行合理推演。如果我們要更精確一些，則需要前提和結論之間存在著明確的邏輯關係，以此作為有效推理的標準。例如：

大前提：所有人終將死去。

小前提：蘇格拉底是人。
結論：蘇格拉底將會死去。

這是一個正確的三段論，因為它的結論在前提之中已經被隱含。[9] 相反的例子如下：

大前提：所有人終將死去。
小前提：蘇格拉底是人。
結論：蘇格拉底不會死，或蘇格拉底不存在。

$$\forall x[Px \rightarrow Qx]$$

$$Ps$$

$$Qs$$

這種推理就違背了前提與結論的邏輯含蘊關係，因此是不合適的推論。總的來說，我們在評估辯論時會審查參與者的推論是否具有內在的邏輯一致性。

其次，我們要關注辯論的內容是否與事實相符。我們通常認為事實在某種程度上是客觀存在的，比如我說：「這個房間裡有兩個人。」除非存在幻覺或其他心理因素，否則我們可以透過計數來確定這句話的真假。另一個例子：

這個課室裡有四十五個學生。

承先前的例子般，我們可以以數量決定。所以這段話本身作為一個命題，本身不是獨自為真或假，而是根據客觀事實而定。諸如：

這個課室裡有四十五個學生。（上述命題為真。）

這個課室裡有四十四個學生。（上述命題為假。）

這個課室裡有四十八個學生。（上述命題為假。）

這些語句命題的真假是取決於客觀事實，即這個客觀世界發生的事情。

順帶一提，我們要明白每個人對這個世界都有獨特的詮釋（Interpretation）。當杜、陳兩人詮釋同一個事情時，那畫面是各自表述、莫衷一是。雙方的支持者可能會覺得某事「明明」是真確無誤，然兩人的說法似和我們那一方所想的不同。假若兩人都是誠實的，那麼我們就要考慮他的說法是否值得思考，而不是一下子在情緒上予以抗拒。這裡引申出事實是客觀的，但對其判斷就因人而異了。

**趙**　其實大家詮釋事情時都會先有一些預設在其中？

**陶**　對的。每個人在成長階段及以後，對這個世界都形成了不同的價值信念。比如，就二〇〇一年美國的九一一事件來說，大部分人認為這是一起不可接受的自殺式恐怖襲擊，是對人道的重大侵犯。然而，對某些激進的伊斯蘭教分子來說，他們可能將這個事件視為聖戰，並相信那些劫持波音七四七客機的人在死後會在天堂獲得回報。面對這些解釋，我們需要像對待杜、陳兩人的辯論一樣，分析他們的推論是否一致，以及他們對事實的描述是否混雜了個人特有的價值信念。

再來談談杜、陳兩人的辯論。由於我們兩人都具有辯論評判的經驗，因此我們可以先從辯論的態度這一方面來看。我明白可能有一些「黃絲」不會認同我，但是就我看來，陳氏在當日的辯論中心情似乎較為平和。相比之下，杜氏的情緒顯然較為激動，甚至多次對陳氏進行人身攻擊。從辯論的角度來看，杜氏的這種行為無疑是大忌。趙先生，你認為呢？

**趙**　和陳氏進行討論，的確很難保持冷靜，但他的策略往往非常成功，經常使用一種激將法。這就像在拳擊比賽中，我們知道拳手為了取勝，往往會嘗試激怒對手，進行一些挑釁動作或是把臉靠得非常近，以此使對方陷入混亂。

**陶** 確實，陳氏在某種意義上可以被視為詭辯高手。因為詭辯者通常能言善辯，且能隨意轉變論點的黑白是非。即使這些人言辭如蓮花，但他們往往忽視事實真相。

**趙** 談到詭辯，經典的例子就是莊子與惠施的辯論。「子非魚，焉知魚之樂？」[10]然後大家就陷入無休止的爭論。這種有點玄學的辯論實際上可以持續下去。

**陶** 所言甚是。另外詭辯者的厲害之處是會用一些煽情的語句。[11]陳氏在辯論中兩次講：「你大聲不代表你有道理！」使杜氏非常惱怒。[12]

後來杜氏也隨機應變，以講話越來越小聲及趴下說話來作弄陳。我認為杜氏是容易躁動的人。他是基於陳氏的思維混亂而惱怒，姑且予以體諒。總結而言，如果大家關了聲音來看兩人的辯論，陳氏其實是略佔上風。這裡的意思是他的詭辯技巧厲害及轉換議題迅速。另一邊廂，其實杜氏在應變上和思考方法都有所建樹，當然他許多時候未必切中要害。我們再細心分析，就會知道陳氏在論據上抹殺了事實及推理上自相矛盾。

**趙** 我還發現他有幾點是不當預設的謬誤，即前提是錯誤的。[13]

## 二、從杜陳之會看思維邏輯

**趙** 今天我們將繼續討論杜陳之會的主題，尤其是他們關於思方學以及事實對錯的論辯，這些都是我們可以從中獲得教學啟示的重要討論。

**陳** 現在大部分參與社會運動的年輕人可能是一九九七年之後出生。香港在一九九七年七月一日回歸後，中國歷史（中史）科不是必修的科目。與此同時，特區政府推行的「母語教育」政策是讓學校使用廣東話授課而不是普通話。這樣我們怎能融入中國呢？這是一個基本的深層次矛盾，而國家及香港都不斷在講這個問題。這深層次矛盾與本次社會運動也許沒有關聯，可它是事情發生的原因。所以我認為年輕人是不會對我們的國家或普通話有很深入的喜歡和認識，這是我的理解。我自己對教育一竅不通，且沒有下一代就學。不過我看到現在的年輕人似乎是受人擺布，或在教育上遭人洗腦。

**杜** 年輕人的想法受甚麼人擺布？

**陳** 教育啊！所以我就說教育錯了，因為它沒有叫年輕人讀歷史，他們就不明白中國……。[14]

**趙** 陳先生在這段對話中混淆了一些基本的邏輯概念。他提到了他認為的一個深層次矛盾與社會事件之間沒有直接的聯繫，但又認為這個矛盾是問題的源頭。他其實是在運用關聯性思考，也就是他假定如果沒有「母語教學」和中國歷史的教學，就會導致社會動盪。他將事件的關聯性和因果關係混為一談，這是一種概念混淆。他認為問題的根源在於教育，但卻沒有對此做出具體的解釋，這顯示他的論述只有結論卻沒有足夠的推論支持。

我曾在中國內地有一個社科基金項目研究香港的中國歷史教育，故對中史以及「母語教學」的問題有專門剖析。陳氏在上述話語中有兩個假設：

假設一、如果香港的教育體系使用普通話進行教學，而非「母語教學」，香港的年輕人就會更愛國。然而，這個假設並不能經得起事實的考驗。在一九九七年香港回歸中國之前，香港的學校主要使用英語進行教學，但是當時的香港人對中國的愛國情懷一直都非常高。[15]這情況在回歸後亦然，至二〇〇八年北京奧運期間香港舉行馬術項目賽事時達到高峰，到二〇一二年才有顯著下跌。雖然我們實行「母語教學」，但是普通話已經成為所有中、小學的必修課，而且不少中學其實都在用「普教中」。[16]我們發現，一九九七年之後出生的香港年輕人的普通話使用能力大多都優於上一代，因此，陳先生的觀點並不符合客觀事實。

假設二、一九九七年香港回歸後沒有中國歷史教育，導致年輕人國民身份認同薄弱。事實上中國歷史科在一九九七年之前是初中必修科目，然董建華在任特首時期卻把它廢除。[17]假設陳氏的話成立，那麼令上述假設成真的始作俑者是誰？就是當年負責廢除中國歷史科而現在依然位高權重的三人：董建華、李國章及羅范椒芬。[18]

**陳** 執法人員只是上班及履行職務。若你不違法，他不會無故使用武力待人。

**杜** 有些人只是站在街上或買夜宵也要被打？

**陳** 這是個別例子。

**杜** 不講這些例子豈不是甚麼東西都不用講？……[19]

---

**陶** 陳氏謂執法人員只是在上班，在動機上沒有理由打示威者。你覺得問題在哪裡？

**趙**　茲認為上班和打不打人是兩件事情，不能混為一談。假定他職業的工作是A，而他不會做出超出A的事情，那麼社會大部分的職業如教師只負責教學就不會打學生、醫生是救人的而不會傷害人。然事實上老師打學生的案例自古以來屢見不鮮，而醫生也同樣有機會傷害人。通過這樣的歸謬，我們可以看出陳氏的說法脫離了現實世界。

**陶**　我想補充的就是「執法人員只是上班」這句話是屬於一個現實主義的描述。對於陳氏而言，他的世界觀中認為執法人員為工作、為薪資而活。我不否認這佔一部分，可你說全部人都是這樣就有點以偏概全了，因為不少執法人員以此為志業的原因是有一分正義感及希望除暴安良。

---

**陳**　香港是我們的家。我們物質富庶、自由度亦高、各項世界排名名列前茅，那麼你還要爭取甚麼？如果那些示威者知道自己追求甚麼就最好，可我看不到……。[20]

---

**陶**　陳氏在此未能綜觀香港全局。其實香港目前的困局是有不同的因素鋪墊，而社會運動是他的觸發點。

**趙**　這個因果關係可用馬克思主義唯物辯證史觀解釋。馬克思借用黑格爾的理論，認為所有的歷史發展都是層累疊積地發展而成。

---

**陳**　若你使用暴力，執法人員就會用相對的武力讓你停止該行為，此乃「以武制暴」。正如我們中國五千年的歷史亦說「治亂世用重典」，執法人員負責維護我們的法治，而法治是香港的基石。沒有執法人員，香港必淪陷無疑！執法人員跟你無怨無仇，怎會胡亂打人？……[21]

---

**陶**　陳氏在這裡確實讚揚了「治亂世用重典」的歷史教訓。然而，當我們將這種觀念適用於當代的環境時，心理學以及犯罪學的研究結果卻對此表示質疑。事實上，即使在刑

罰特別重的地區，其治安狀況未必會因此有顯著的改善。反而，這種做法可能引發其他的社會問題。例如在有死刑制度的地方，死刑並未能有效地作為嚇阻犯罪的手段。因此，「治亂世用重典」的觀點在現代社會似乎並不適用。[22]

**趙**　讓我們以實際的例子來說明：美國是一個聯邦制的國家，各州有權制定自己的法律，包括是否要實行死刑。然而，我們發現，具有死刑制度的州的犯罪率並未因此降低，與那些沒有死刑的州相比並無明顯差異。這種情況實質上已經證明了死刑並無法有效地降低罪犯率。反而，某些研究顯示，在實行死刑的州裡，罪犯在計算犯罪的風險後，可能會認為殺人的後果並無顯著差別，從而更有可能犯下嚴重的罪行。[23]

## 三、泛觀點與角度的謬誤、價值信念層次分析

**趙**　陳氏的思維代表了香港社會的「藍絲」普遍想法。他在當天辯論中提到每個人的觀

點與角度皆有所不同，故大家看事情、數據、影像等以後講法會有差異。這是不足為奇的。我們對此該如何看待？[24]

**陶**　陳氏的判斷挺「有趣」。在此我們先不要討論事實是如何，皆因這樣的話大家無法互相說服對方，如我們跟一些「藍絲」朋友談的時候就出現這情況。我們需承認不同媒體在題目選材、報導立場、鏡頭處理等均有其選擇，而某些大型電視台的現場採訪和及後的新聞報導更常有迥異之處，讓人恍如隔世。至於陳氏的個案，茲認為應該從事實和價值判斷兩個層面去思考，例如：

問：今天你覺得是熱還是冷？

答：今天只有二十度。我身體稍差，覺得有點冷。

此話語中「我」對於溫度的感覺是自己的觀點與角度，但溫度是客觀的。

**趙** 後現代主義史學主張，所有的敘述和描述都不可避免地被賦予了主觀性的色彩。比如，當我們在描述日軍行動時，是選擇表述為「進入中國」還是「侵略中國」？這都體現了我們的語言選擇在揭示事實（客觀性）的同時，也透露了我們的觀點和態度（主觀性）。[25]在討論各種社會事件，特別是對於「示威者」的描述時，這種主觀性尤其明顯。總的來說，「示威者」這個詞彙相對中性，而如「義士」或「暴徒」則帶有明顯的價值判斷。

後現代主義史學的觀點提醒我們，任何敘述都不能脫離敘述者的視野和立場。我們對歷史事件的解讀受到自身的價值觀、經驗和文化背景的深深影響，這種影響會在我們的語言選擇中得以體現，因此，當我們使用詞語進行描述時，都在一定程度上反映出我們的主觀性。

**陶** 這些主觀用詞往往只反映出語者的視角，當論證無法持續時，這些詞彙常被用作防衛工具，更顯出詭辯的意味。客觀的事實是可以進行驗證的，而價值信念則是基於我們對世界的理解和觀察。我們必須分辨這兩者之間的區別。有些人可能生活觀念較為簡單，他們只專注於物質享樂，並希望能平安無災地經歷「生、老、病、死」這些人生階段。但另有一些人並不甘於平庸，他們希望在人生的旅途中，能夠創造出自己的偉大。比如，當有人正陶醉在無憂無慮的生活之中，也許另有人正在經歷生命的風雨。這些情況有點像足球比賽，每一場比賽都有輸贏平的結果，但每一場比賽都有其獨特的刺激和娛樂性。[26]

**趙**　我常常以此作例去問學生：「你覺得球賽的過程還是結果重要？」很多學生都說結果重要。之後我再問：「那人生呢？」人生也是一個過程及只會步向死亡。你若只重視結果，人生就沒有存在價值。這個例子可反駁所謂的「結果主義」。

在球賽中，雖然結果的勝負對於競技性賽事的意義重大，但我們不能忽視比賽的過程、運動員的努力和技巧展示。同樣地，人生也是一場旅程，應該重視其中的成長、學習、人際關係和追求的價值，而非僅僅追求結果的標誌性成就。

「結果主義」強調結果的重要性，往往忽視了過程中的價值和意義。然而，人生的真正價值在於如何充實和豐富每個瞬間，並從中獲得成長和滿足。因此，我們應該對過程和結果都持有適當的關注，並意識到人生的價值不僅在於終點，更在於旅程中的點滴體驗和成長。

**陶** 正所謂「夏蟲不可以語冰」[27]，一些抱持通俗現實主義思維的人士不太理解追求公平正義之因。另一方面，他們更因知識貧乏而容易因立場相左而否定某意見。這種現象反映了一種思維上的局限性。人們的觀點和立場往往受限於他們所擁有的知識和經驗。如果我們只局限於自己已知的範圍，就容易對不同意見持否定態度，甚至忽視那些可能對我們帶來新見解和視野拓展的觀點。

**趙** 反之當該意見符合其所想，他們則會採納。

**陶** 極端的情況是當他們聽到不一致的意見時，他們會以陰謀論揣測反對者的用意。這犯下了不當預設的謬誤。

**趙** 作為史學工作者，我習慣於重視考證的工作。然而，我注意到在當今社會，許多人並不重視這一點。結果就是大量的虛假、不確定或者具有爭議的訊息在網絡上廣為傳播。這種現象不僅存在於「藍絲」之中，也存在於「黃絲」之中，他們都會積極地轉發這些訊息，以此來鞏固他們自身的價值觀和信仰，這是一種我們需要警惕的現象。[28]

另一方面，「藍絲」經常強調「穩定壓倒一切」。這一觀念其實反映了動物的本能，比如猩猩群、狼群、獅子群等，牠們都會尊重和服從群體的領袖。當有人挑戰領導者的權威時，他們可能會感到這會破壞群體的和諧和團結。[29]這是一種天性，但在人類社會中，是有人禽之別，我們必須認識到，對權威的挑戰和質疑，並不一定會導致不穩定，反而可能有助於我們更好地認識真相，推動社會進步。

然而，我們應該注意到，人類社會和動物社會有著根本的不同。我們作為有思想和理性的人，應該能夠超越本能的服從，運用我們的思考能力和判斷力來評估和分析事情。僅僅因為某人被視為領袖，並不意味著他的觀點和行為都是正確和值得追隨的。因此，我們需要保持批判性思維，不輕易接受和傳播未經考證的訊息，並且以客觀事實為依據來評估和判斷事物。只有通過理性思考和擁有獨立思考的能力，我們才能夠更好地理解世界、達成共識，並追求更公正、平等、和諧的社會。

**陶**　「穩定壓倒一切」的用意是把世界靜態化以維護管治權威，但這容易抹殺多元價值及道理，並非可持續的模式。「杜陳之會」其實也帶出這一點。這種故步自封的態度阻礙了社會的進步和發展。我們必須意識到，世界是不斷變化和發展的，而僅僅追求穩定並不是一個可持續的模式。

相反，我們應該開放心態，接受不同的觀點和價值觀。這樣才能促進對話、互相理解和合作，以實現社會的進步和繁榮。只有透過多元性和包容性，我們才能建立一個更加公正、平等且蓬勃發展的社會。

因此，我們需要超越「穩定壓倒一切」的思維模式，尋求平衡、變革和進步。只有通過開放的思想和對多元性的接納，我們才能夠實現社會和諧及人類的全面發展。

1 杜汶澤（Chapman To，1972-），本名吳卓彰（Edward Ng），暱稱「阿澤」，於第十九屆香港電影評論學會大獎獲「最佳男演員」，以下稱「杜」。陳百祥（1950-），暱稱「阿叻」，二〇二〇年十月獲頒銅紫荊星章，以下稱「陳」。他們的辯論見香港電台：〈《視點31》【阿澤 VS 阿叻 # 足本版】（RTHK31：05/11/2019）〉，YouTube 頻道《視點 31》，二〇一九年十一月五日（擷取日期：二〇二一年四月五日）。其後的訪問見東方日報：〈（足本賽後訪問）【陳百祥 vs 杜汶澤】節目後見記者 邊個寸爆自己睇〉，YouTube 頻道《繽 FUN 星網》（https://www.youtube.com/@funandstar），二〇一九年十一月六日（擷取日期：二〇二一年四月五日）。

2 趙氏的影片見趙善軒：〈（中文字幕）習近平：「中國是全過程民主」，論陳百祥對杜汶澤的思考謬誤，20191106〉，YouTube 頻道《Gavinchiu 趙氏讀書生活》（https://www.youtube.com/@gctalk），二〇一九年十一月六日（擷取日期：二〇二一年四月五日）。

3 例如美國的大學通識課程經常開辦關於思方學的課程，當中以美國政治哲學家、哈佛大學政治哲學教授邁可．桑德爾關於「正義」（Justice）的課程最為著名，見 Michael J. Sandel, *Justice: What's the Right Thing to Do?* (New York: Farrar, Straus and Giroux, 2009).

4 亞里士多德，古希臘哲學家，柏拉圖的學生、亞歷山大大帝的老師。其與蘇格拉底（Socrates，470-399 BC）及柏拉圖（Plato，429-347 BC）並稱「希臘三哲人」。

5 此論證見李天命著，戎子由、梁沛霖編：《李天命的思考藝術（最終定本）》（香港：明報出版社有限公司，二〇一六年），頁八十一—八十三。

6 出自《韓非子．難一》的成語「自相矛盾」即有此意思。

7 趙氏稱此話出自李天命的著作。

8 查爾斯．狄更斯（Charles Dickens，1812-1870），英國維多利亞時代作家、評論家。

9 又稱「離斷律」（modus ponens）。

10 此段出自《莊子．秋水》：「莊子與惠子遊於濠梁之上。莊子曰：『儵魚出遊從容，是魚之樂也。』惠子曰：『子非魚，安知魚之樂？』莊子曰：『子非我，安知我不知魚之樂？』惠子曰：『我非子，固不知子矣，子固非魚也，子之不知魚之樂，全矣。』莊子曰：『請循其本。子曰汝安知魚樂云者，既已知吾知之而問我，我知之濠上也。』」

11 近年來世界政壇中民粹主義抬頭，而抱持此主義的政治人物一般皆會使用煽動情緒的詞彙，且精於詭辯。

12 陶氏認為此句或是參考香港電影《監獄風雲》中周潤發飾演囚犯阿正（鍾天正）的對白：「我大聲講話不代表我沒有禮貌的！」

13 李天命稱此為「強定成空」，參考李天命著，戎子由、梁沛霖編：《李天命的思考藝術（最終定本）》，頁一〇五—一〇六。

14 陳氏在提到教育一詞時亦可能包含指某些教師；此段對話摘錄及整理自香港電臺：〈《視點31》【阿澤 VS 阿叻 # 足本版】（RTHK31：05/11/2019）〉，片段 7:23-8:19。

15 有關「母語教學」的成效分析，請看黃家樑：〈母語教育何去何從？〉，《灼見名家》，二〇一九年四月一日（擷取日期：二〇二一年四月七日）；香港人在保釣運動、華東水災等議題上一直心繫中國內地，甚至會主動捐輸。

16 用普通話教授中文。

17 董建華（1937-），香港特別行政區政府第一任行政長官（1997-2005），後任中國人民政治協商會議全國委員會（全國政協）副主席。

18 李國章（1945-），曾任香港大學校務委員會主席、東亞銀行董事局副主席、香港特別行政區行政會議成員及全國政協委員。前任教育統籌局（現稱教育局）前局長，香港中文大學前校長（曾任中大外科學系講座教授、中大醫學院院長）；羅范椒芬（1953-），曾任行政會議成員、香港教育統籌局局長及常任秘書長、廉政專員及香港科技園董事局主席。

19 此段對話摘錄及整理自香港電台：〈《視點 31》【阿澤 VS 阿叻 # 足本版】（RTHK31：05/11/2019）〉，片段 8:26-8:39。

20 此段對話摘錄及整理自香港電台：〈《視點 31》【阿澤 VS 阿叻 # 足本版】（RTHK31：05/11/2019）〉，片段 24:09-24:37。

21 此段對話摘錄及整理自香港電台：〈《視點 31》【阿澤 VS 阿叻 # 足本版】（RTHK31：05/11/2019）〉，片段 11:02-11:31。

22 有關死刑的存廢問題，見〈死刑：美國和亞洲國家的極刑存廢之爭〉，《BBC 中文網》，二〇一九年七月二十七日（擷取日期：二〇二一年四月七日）。

23 同前註。

24 有關影片的對話內容請看香港電台：〈《視點 31》【阿澤 VS 阿叻 # 足本版】（RTHK31：05/11/2019）〉，片段 12:09-13:59 及 27:52-29:08。

25 有關後現代主義史學的探討，見黃進興：《後現代主義與史學研究：一個批判性的探討》（北京：生活．讀書．新知三聯書店，二〇〇八年）。

26 有關人生意義的探討，見殷海光（1919-1969）：〈人生的意義〉，載《殷海光先生文集（第二冊）》（臺北：桂冠圖書有限公司，一九八五年），頁九八一—九八八。

27 《莊子．秋水》：「井蛙不可以語於海者，拘於虛也；夏蟲不可以語於冰者，篤於時也；曲士不可以語於道者，束於教也。」此處比喻人囿於見聞，知識短淺。

28 近年有大學成立事實查核中心預防此情況發生，見〈浸大事實查核中心九月試行 助篩假新聞〉，《明報新聞網》，二〇二〇年十二月三十日（擷取日期：二〇二一年四月十六日）。

29 有關人和動物原本的連結，見 Yuval Noah Harari, *Sapiens: A Brief History of Humankind* (London: Vintage, 2014), 3-21.

# 後記

二〇一九年，香港爆發了上百萬人參與的「反修例運動」，陷入了自一九六七年以來最為動盪的時刻。在這個時期，陶教授多次公開地與我進行深度對談，一起探討社會運動所引發的社會撕裂問題。陶教授是我在新亞研究所的前輩，也是哲學組的榮譽教授，他畢業於香港中文大學哲學系，並為新亞研究所第二屆博士班的畢業生，師承牟宗三先生。我則是史學組的畢業生，學習中國歷史，又曾在研究所擔任博士後研究員。當時在深圳大學饒宗頤文化研究院擔任副教授。

我早在中學生時代，已經讀過陶教授的通識著作，尤其在思考方法上，受益最多。後來，在一次紀念唐君毅先生的活動中，陶教授和我初次交談。此後，我們在網上對哲學議題的討論頻繁起來，每次觀眾少則數千人，多則達到十萬人。在這個如同漢代太學生運動、清代公車上書、民初五四運動般的歷史大時代，我們認為有責任以學術的角度公開地、冷靜地探討社會撕裂的根源和不同陣營的考慮。

數年後，香港社會的熱潮已然消退，數十萬的香港人選擇離開了這座城市。我們新亞研究所的前輩們在一九四九年那個不安年代，北學南移，創立了新亞書院。這場學術大遷徙，使香港的學術文化在傳承中國傳統文化的同時，也充分吸收了西方文化，形成了一種獨特的東西文化交融現象。

大半世紀以前，大量學者離鄉背井，來自中國內地的學者大量遷入香港，讓中國傳統文化在這座城市中獲得廣泛流傳。此外，從清朝晚期和民國初期開始，隨著學者南遷，中國的新文化、新學術、新史學和新思潮也在香港、澳門、臺灣和東南亞等地區得到擴散。這些新的學術思維，不只與南下的中國傳統文化共同滋養了香港的歷史文化，也使之與香港的文化發展深度融合。

這些南下的學者在港臺的大專院校教授了無數學生，進一步將學術的生命力傳遞到香港和海外，為當地培育了新一代的學者。這種趨勢，已經成為這個時代精神特色的重要指標。另外，一些早期南遷的學者，如錢穆、牟宗三、徐復觀、牟潤孫、勞思光、余英時等，他們的學術著述為香港的學術文化生態打下了堅實的基礎。

其中，南來學人之中，唐君毅先生是新儒家的代表人物之一。他對於國人失去文化主體性、否定自我價值的現象提出了警告，希望時人在求新求變的思潮中，與傳承智慧的保守立場尋求平衡的發展。他以儒家的關懷社會之用心，提點世人覺察中華文化臻至美善的理想與價值，希望打破忘本求外的迷思，重建民族的自信。

唐君毅先生在一九六一年發表的《說中華民族之花果飄零》一書中，描述了中國文化在西化潮流下的前景，猶如大樹崩倒，花果飄零，前途堪虞。但「花果飄零」的下一句是「靈根自植」，意指即便中國文化在某地處於劣勢，但它仍可以在其他地方扎根生長，例如香港，靜待時機，期待有朝一日能夠「共負再造中華，使中國人之人文世界花繁葉茂，於當今之世界之大任也」。

當年，中國文化受到了無情的打壓，有良知的知識分子慘受非人道對待，中國文化和客觀的研究只能在英國治下的香港以及海外「靈根自植」。四年前，社會運動爆發後，我自深圳大學的教席回港。到了二〇二一年，我跟數十萬香港人一樣，選擇暫別這座既熟悉又陌生的都市，毅然遠赴異地生活，而陶教授選擇留在香港，仍在香港中文大學任教，雖然地域上我們相隔遠，但幸得網絡之便，我們的文化交流仍能不絕。就像花果飄零後，仍可以在不同的地方落地生根。

沒想到數十年後，我們再次遭遇到時代的嚴酷挑戰。當前的香港移民潮，猶如大半世紀前的情景，要在海外將學術和理性討論進行延續與傳承。

在此，我們將二〇一九年的數次對談整理成書，希望能夠對這一歷史時期留下紀錄。我們希望這些「花果」能夠被未來的世代接收，並深入體會我們在這個時代的掙扎與思考。然而，為了適應變化的政治氣候並避免風險，我不得不進行了大幅度的修訂，使之符合出版的標準，這雖無奈，卻能反映出時代的變遷。畢竟近幾年，香港無論是與政治議題相關或涉及敏感人物的書籍，都面對著「下架潮」的窘境，甚至連電子書也無法倖免。新聞報導對過去三年內香港公共圖書館中文書的「下架名單」進行了整理，在最近三年間，香港公共圖書館已經下架了二百五十五種中文書，情況令人不禁回想數十年前的種種，歷史總是驚人地相似。

最後，在這次的修訂中，我們補充了一些在對話過程中未能考證的引文和資料。我們也調整了部分內容與表達方式，但是我們致力於保留當時的觀點和分析，以此作為一個實質的紀錄。

最後，藉此機會感謝國立中山大學沈旭暉教授，他一力促成此書的出版，並賜序文。同時，我也要感謝一位希望匿名的學生，他幫忙整理了我們的初稿；以及一位匿名的哲學系教授「無名」，為本書編輯擔任審訂的工作。還有現旅居英國的鍾劍華博士撥冗賜序，謹此鳴謝。是次由我一手整理二〇一九年時期跟陶教授的對談內容，若有疏漏或不足，責任全在於我。是為後記。

**趙善軒**

**二〇二三年仲夏於倫敦泰晤士河畔**

# 再飄零：離散時代與社會撕裂的哲學思考

作者：陶國璋、趙善軒
審訂：無名
責任編輯：樗
執行編輯：AC
文字校對：陳建安、John
封面設計及內文排版：Vincent Chen

出版：一八四一出版有限公司｜發行：遠足文化事業股份有限公司（讀書共和國出版集團）｜社長：沈旭暉｜總編輯：孔德維｜地址：103 臺北市大同區民生西路 404 號 3 樓｜郵撥帳號：19504465 遠足文化事業股份有限公司｜電子信箱：enquiry@1841.com

法律顧問：華洋法律事務所／蘇文生律師｜印製：博客斯彩藝有限公司｜出版日期：2023 年 10 月初版一刷／ 2024 年 1 月初版三刷｜ 定價：380 元｜ ISBN：978-626-97372-5-3



國家圖書館出版品預行編目 (CIP) 資料｜再飄零：離散時代與社會撕裂的哲學思考／陶國璋，趙善軒作 . -- 初版 . -- 臺北市：一八四一出版有限公司出版：遠足文化事業股份有限公司發行，2023.10 ｜ 304 面；14.8×21 公分｜ ISBN 978-626-97372-5-3（平裝）｜ 1.CST：言論集 2.CST：香港問題｜078 ｜ 112016401